Jü

Fahles En

*Vier minimale Stücke*

Suhrkamp

edition suhrkamp 1075
Neue Folge Band 75
Erste Auflage 1981
© Suhrkamp Verlag Frankfurt am Main 1981
Erstausgabe. Alle Rechte vorbehalten,
insbesondere das des öffentlichen Vortrags,
des Rundfunkvortrags, der Fernsehausstrahlung, der Aufführung
und der Verfilmung, auch einzelner Abschnitte.
Das Recht der Aufführung oder Sendung ist nur
vom Suhrkamp Verlag, Frankfurt am Main, zu erwerben.
Den Bühnen und Vereinen gegenüber
als Manuskript gedruckt.
Satz: LibroSatz, Kriftel.
Druck: Nomos Verlagsgesellschaft, Baden-Baden
Umschlagentwurf: Willy Fleckhaus.
Printed in Germany.

# Inhalt

Wir haben nur immer die Illusion der Ruhe,
denn in dem Augenblick,
in welchem Ruhe in uns eintreten könnte,
*könnte, könnte, könnte,* sagte ich,
sind wir schon wieder in größter Unruhe.

Thomas Bernhard, *Korrektur*

# Japanische Spiele

*Farce in 2 Akten*

*Personen*

KYOTOER

SCHEVENINGER

GEISHA

TEEDAME

# II

# Erster Akt

Der 1. Akt spielt im kleinen Zimmer eines Stundenhotels. Durch das Fenster ist Meer sichtbar. Durch einen Ventilatorschacht dringen leise schwere Vogelschreie. Scheveninger und Kyotoer tragen wulstige Hüftbänder wie Sumo-Ringer. In der Mitte des kleinen Zimmers steht ein breites Bett. In der Mitte der Matratze befindet sich ein Durchlaß, durch den unters Bett geschlüpft werden kann. Das kleine Zimmer ist etwas schräg, als kippte das Haus, in dessen Erdgeschoß sich ein Nachtlokal bemerkbar macht. Leichte bis mittelstarke Brise im Zimmer. Die Beleuchtungsstärke entspricht einer 25-Watt-Birne in Form einer verglasten Kerzenflamme. Vom Meer her dringt ein Mal ein pentatonischer, vierstimmiger, schwermütiger Gesang.

| | |
|---|---|
| SCHEVENINGER | Es gibt nur eine Zeitspanne . . . |
| KYOTOER | Du meinst, ZeitSpanne . . . |
| SCHEVENINGER | Zeitpanne . . . |
| KYOTOER | ZweitSpanne . . . |
| SCHEVENINGER | Zeitpanne . . . |
| KYOTOER | Warum? |
| SCHEVENINGER | Es gibt nur eine. |
| KYOTOER | Wo? |
| SCHEVENINGER | Ganz einfach. Über der Kommode. Eine große. |
| TEEDAME | Brille? |

| | |
|---|---|
| SCHEVENINGER | Eine große Zeitpanne. |
| GEISHA | Eine kleine Zeitspanne, meinst du. |
| SCHEVENINGER | Habe ich mal gemeint. |
| GEISHA | Wann? |
| SCHEVENINGER | Als ich von der großen sprach. |
| TEEDAME | Der Brille? |
| SCHEVENINGER | Nein, der Zeitpanne. *Pause* Sie zerrt dermaßen an dem armen Schrank, weißt du. |
| GEISHA | Das wollte ich dir schon andeuten. |
| SCHEVENINGER | Aber das hast du mir längst angedeutet. Nur darum komme ich doch überhaupt auf diese Gedanken. |
| GEISHA | Eigenartig. *Pause. Flüsternd* Ich habe diese Gedanken, weil ich mich von dir zu ihnen gedrängt fühle. |
| TEEDAME | Hast du die Brille an? |
| GEISHA | Welche? |
| TEEDAME | Die kleine. |
| GEISHA | Die kleine hab ich an, glaub ich. |
| TEEDAME | Fühl mal nach. |
| KYOTOER | Da liegt sie ja. |
| SCHEVENINGER | Welche? |
| KYOTOER | Die große. |
| SCHEVENINGER | Also hast du die kleine. |
| KYOTOER | Ich weiß es nicht. |
| SCHEVENINGER | Oder du hast gar keine. |
| KYOTOER | Was hast du mit deiner Ente vor? |
| TEEDAME | Ich glaube, du hast die kleine an. Siehst du mich? |
| GEISHA | Wenn auch. Du würdest mich ja nicht sehen. *Pause* Hast du alles in deiner Ente verstaut? |

| | |
|---|---|
| TEEDAME | In welcher? |
| GEISHA | Es gibt nur eine. |
| KYOTOER | Klapp sie hinten auf. |
| GEISHA | Ich sehe nicht, wo. |
| KYOTOER | Natürlich siehst du nicht. Klapp sie trotzdem auf. |
| GEISHA | Wo? |
| KYOTOER | Du hast keine Brille an. Wir werden eine Brille suchen, die dir geht. |
| TEEDAME | Für mich die große Brille. Wenn es geht. |
| KYOTOER | Die Ente muß hinten aufgeklappt werden. Es ist ratsam, daß das rasch geschieht. Die Ente wartet nicht gern. |
| GEISHA | Schau doch mal im Schrank nach. |
| KYOTOER | Ich weiß nicht, ob ich das sähe. |
| TEEDAME | Hast du die Brille an? |
| GEISHA | Die kleine? |
| TEEDAME | Welche? |
| GEISHA | Die kleine. Ob ich die kleine Brille anhab? |
| TEEDAME | Das frag ich dich. |
| SCHEVENINGER | Die kleine hab ich an, glaube ich. Klapp die Ente auf. |
| TEEDAME | Aufgeklappt. |
| SCHEVENINGER | Ich sehe diesen Tatbestand nicht. |
| TEEDAME | Du scheinst die kleine Brille anzuhaben. Die nützt nichts. *Pause* Wir müssen die große suchen. |
| SCHEVENINGER | Die große Ente. |
| TEEDAME | Ja. Die aufgeklappte große Ente. Nur die hilft. |
| GEISHA | Schau doch unter dem Schrank nach. |

| | |
|---|---|
| SCHEVENINGER | Natürlich ist sie unter dem Schrank. Aber wir kriegen sie nicht darunter hervor. |
| GEISHA | Aber unter der Kommode kriegen wir sie hervor. |
| KYOTOER | Leider liegt sie nicht unter der Kommode. |
| SCHEVENINGER | Wer? Die Brille? |
| KYOTOER | Welche Brille? |
| TEEDAME | Die kleine. |
| SCHEVENINGER | Die kleine liegt unter dem Waschtisch, glaube ich. |
| TEEDAME | Tast mal ab. |
| KYOTOER | Da liegt sie ja. |
| GEISHA | Welche? |
| KYOTOER | Die große. |
| SCHEVENINGER | Also hast du die kleine an. |
| KYOTOER | Ich glaube nicht. Ich habe keine. |
| TEEDAME | Oder hast du die große an und die kleine gefunden. |
| KYOTOER | Die kleine Ente? |
| TEEDAME | Jene Ente, die unter dem Waschtisch liegt. *Pause* Ich glaube, du hast keine an. Siehst du mich? |
| KYOTOER | Du steckst hinten in der großen Ente. |
| TEEDAME | In welcher? |
| KYOTOER | Es gibt nur eine. Sie ist sehr groß, glaube ich. |
| TEEDAME | Ist sie hinten aufgeklappt? |
| KYOTOER | Genau wie der Waschtisch. Aber ich kann es nicht genau sehen. |
| SCHEVENINGER | Natürlich siehst du den Tatbestand nicht. Trotzdem ist sie aufgeklappt. |

| | |
|---|---|
| KYOTOER | Wo? |
| GEISHA | Du hast keine Brille an. Wir werden eine Ente suchen, in die du hineinpaßt. |
| SCHEVENINGER | Für mich die große Ente. Wenn es machbar ist. |
| KYOTOER | Die muß vorn aufgeklappt werden. Ich habe früher einmal gesagt, das müsse rasch geschehen. Es ist noch nicht zu spät, nur etwas gefährlicher als früher, als ich das gesagt habe, nämlich: Es muß rasch geschehen. |
| TEEDAME | Unter dem Schrank gehts rascher. |
| GEISHA | Wenn wir unter den Schrank kämen. *Pause* Ich sehe nicht einmal den Schrank. |
| TEEDAME | Ich weiß nicht, ob ich ihn sähe. *Pause* Wir schwimmen. |
| GEISHA | Zieh die Brille an. |
| TEEDAME | Die große? |
| GEISHA | Welche? |
| TEEDAME | Die große. Du sollst die große anziehen. |
| GEISHA | Das wollte ich dir sagen. |
| TEEDAME | Die kleine hab ich an, vermute ich. Klapp die Ente zu. |
| GEISHA | Zugeklappt. |
| SCHEVENINGER | Ich sehe diesen Tatbestand nicht. |
| GEISHA | Ohne die kleine. Auch mit der kleinen wäre er kaum zu sehen. Die ist unnütz. *Pause* Wir müssen die große suchen. |
| KYOTOER | Unter der Kommode? |

| | |
|---|---|
| GEISHA | Unter der Kommode finden wir sie leichter. Nicht gesagt ist es, daß wir die große da finden, aber jedenfalls finden wir sie da leichter. |
| TEEDAME | Die große Kommode? |
| GEISHA | Ja. Unter dem Boden der großen aufgeklappten Kommode. Nur da. |
| KYOTOER | Schau doch *über* der Kommode nach. |
| SCHEVENINGER | Sie könnte *über* dem Schrank sein, die große. *Pause* Aber wie kommen wir an den Schrank heran? |
| KYOTOER | Durch Annähern. |
| TEEDAME | Erst muß man ihn sehen. |
| GEISHA | Keine Brille angezogen, du! |
| TEEDAME | Angezogen. |
| GEISHA | Die kleine. Sie zeigt dir, wo der Schrank steht. |
| SCHEVENINGER | Die Ente muß aufgeklappt werden. Am besten vorn. |
| KYOTOER | Lange kann nicht mehr zugewartet werden. |
| GEISHA | Leider liegt sie nicht über dem Schrank. |
| KYOTOER | Wer? Die Ente? |
| TEEDAME | Welche Ente? |
| GEISHA | Die große. |
| SCHEVENINGER | Die große liegt über dem Waschtisch, glaube ich. Sie hat den armen Waschtisch sozusagen unter sich erdrückt. |
| TEEDAME | Tast mal ab. |
| SCHEVENINGER | Da liegt sie ja. |
| KYOTOER | Die große? |
| SCHEVENINGER | Welche? |

| | |
|---|---|
| KYOTOER | Die große. |
| SCHEVENINGER | Die kleine, glaube ich. |
| KYOTOER | Welche? |
| SCHEVENINGER | Die kleine, glaube ich. *Pause* Was hast du gefragt? |
| KYOTOER | Die große, glaube ich. |
| TEEDAME | Das hast du gefragt. |
| KYOTOER | Was? |
| TEEDAME | Das hast du gefragt. *Pause* Die kleine, vermutlich. |
| KYOTOER | Welche? |
| GEISHA | Eine Ente. |
| SCHEVENINGER | Was? |
| GEISHA | Das hast du gesagt. |
| SCHEVENINGER | Ich habe gesagt, die kleine. |
| GEISHA | Welche? |
| TEEDAME | Warum, welche? |
| KYOTOER | Es kann auch die große sein. |
| GEISHA | Welche? |
| SCHEVENINGER | Die große. |
| GEISHA | Die große also. *Pause* Sicher? |
| SCHEVENINGER | Die große, glaube ich. *Pause* Wo denn? |
| GEISHA | Hast du gesagt. |
| SCHEVENINGER | Hab ich nicht. *Pause* Ich habs dir nachgesagt. |
| GEISHA | Wann? |
| SCHEVENINGER | Wieso, wann? Wo, hast du gefragt! |
| GEISHA | Wann? |
| TEEDAME | Wo, hast du gefragt. |
| GEISHA | Ich meine, wann habe ich »wo« gefragt? |
| SCHEVENINGER | Als ich gefragt habe, welche. |

| | |
|---|---|
| GEISHA | »Welche« ist einfach. Es ist die große. |
| SCHEVENINGER | Glaube ich. |
| KYOTOER | Glaube ich? *Pause* Wir glauben, die große. *Pause* Aber wo? Die Frage stellt sich. |
| TEEDAME | Und doch sieht man es leicht. |
| GEISHA | Wenn sie aufgeklappt ist, die Ente. |
| KYOTOER | Falsch. Wenn man es überhaupt sieht. Wenn man es denn eigentlich sieht, sieht man es auch ohne weiteres, darum, weil man es ziemlich leicht sieht, glaube ich, die große nicht weniger als die kleine, ich meine, den Tatbestand, daß . . . |
| SCHEVENINGER | Wo, das ist die Frage. |
| KYOTOER | Den Tatbestand, daß hier die kleine beziehungsweise die große gefunden wurde auf dem Schrank. |
| SCHEVENINGER | Wo? |
| KYOTOER | Auf der Kommode. |
| GEISHA | Ja. |
| KYOTOER | Auf dem Waschtisch. Die große drückt den armen Waschtisch unter sich zusammmen. |
| SCHEVENINGER | Tut sie. Dann mußt du sie aufklappen und den Waschtisch in ihrem Bug verschwinden lassen. |
| KYOTOER | In welchem Bug? |
| SCHEVENINGER | Im Bug der kleinen. |
| TEEDAME | Welcher? |
| GEISHA | In welcher, meinst du? |
| TEEDAME | Ja. |
| SCHEVENINGER | Im Bug der Ente. |

| | |
|---|---|
| TEEDAME | Wo? |
| GEISHA | Über dem Schrank. Sie drückt den armen Schrank unter sich zusammen. Er zersplittert, der arme. Darum sage ich, daß nur die kleine dir nützt. |
| SCHEVENINGER | Wenn ich sie sehe und aufklappe. |
| KYOTOER | Wen? Die Brille? |
| SCHEVENINGER | Die Ente. |
| TEEDAME | Wir schwimmen. *Pause* Wie man es tut, wenn man vorn in der kleinen Ente steckt, die auf dem Waschtisch steht. |
| GEISHA | Das wollte ich dir andeuten. Aber du drehst mein Inneres nach außen, was schmerzt. Dafür drehst du mein Äußeres nach innen, was auch schmerzt. *Pause* Natürlich wären wir auf dem Waschtisch, aber noch wahrscheinlicher wären wir auf der Kommode. Wenn wir irgendwo wären, müßten wir hinten in der großen Ente auf der Kommode schwimmen. |
| SCHEVENINGER | Das möcht ich mal sehen. |
| GEISHA | Kannst du ja. |
| TEEDAME | Mit der kleinen. Mit der großen nicht. |
| GEISHA | Die hilft auch nichts. |
| KYOTOER | Die ist bestimmt das unnützeste schlechthin. *Pause* Wie ich dir immer andeuten wollte. |
| SCHEVENINGER | Womit andeuten? |
| KYOTOER | Indem ich meinte, du sollst die Ente aufklappen und hindurchschauen. |
| SCHEVENINGER | Erst finden. |

| | |
|---|---|
| KYOTOER | Unter der Kommode? |
| SCHEVENINGER | Hast du gesagt. Aber kein Beweis ist bisher gefunden. |
| KYOTOER | Mit der großen sieht man es. |
| SCHEVENINGER | Mit welcher? |
| GEISHA | Mit der kleinen. |
| SCHEVENINGER | Mit welcher? |
| TEEDAME | Was meinst du? |
| GEISHA | Wo? *Pause* Unter dem Waschtisch, vermutlich, wie ich dir andeuten wollte, als ich dir sagte, du steckst unter dem Schrank, aber noch lieber unter der Kommode hinten in der kleinen und mußt sie rasch aufklappen. |
| SCHEVENINGER | Daran erinnere ich mich. |
| TEEDAME | Woran? |
| SCHEVENINGER | Aber nur ein bißchen. |
| TEEDAME | Du erinnerst dich also. *Pause* Die Erinnerung setzt ein. |
| KYOTOER | Du habest früher einmal gesagt, das Aufklappen müsse rasch geschehen, beim zweitenmal Erinnern sei es noch nicht zu spät, aber doch schon gefährlicher als früher, als du gesagt habest . . . |
| TEEDAME | Wann? |
| KYOTOER | Damals, bei der kleinen. |
| TEEDAME | Natürlich bei der kleinen. Die große sei unnütz, haben wir festgestellt. |
| KYOTOER | Wann? |
| TEEDAME | Damals, bei der kleinen. |
| SCHEVENINGER | Natürlich, bei der kleinen. Die große |

sei das Unnützeste schlechthin, haben wir festgestellt.

KYOTOER   Wann?

SCHEVENINGER   Damals, bei der großen.

KYOTOER   Bei dem Unnützesten schlechthin haben wir doch nicht etwa etwas festgestellt? *Pause* Wir hätten also bei der kleinen, ich meine, ohne die große gesehen zu haben, etwas festgestellt?

TEEDAME   Wann?

KYOTOER   Damals, beim Aufklappen.

SCHEVENINGER   Damals, unter dem Waschtisch?

KYOTOER   Im Schrank. *Pause* Aber auch im Schrank haben wir nichts gesehen. Geschweige denn den Schrank. Weil wir im Schrank den Schrank nicht gesehen haben . . .

SCHEVENINGER   Den sehen wir. Mit der kleinen.

KYOTOER   Weil die große das Unnützeste überhaupt ist.

SCHEVENINGER   Wo? *Pause* Über dem Schrank ist sie schon ganz nützlich.

KYOTOER   Wozu?

GEISHA   Ich sehe diesen Tatbestand der Unnützlichkeit kaum. *Pause* Zugegeben, sie ist nicht ganz wie die kleine.

TEEDAME   Welche?

GEISHA   Die ist auch nicht aufgeklappt. Und wenn sie es wäre, sähen wir es nicht. Aber sie ist nicht unnütz. *Über* dem Schrank ist sie das nicht.

TEEDAME   Aber wir wissen nicht, wo der Schrank steht.

| | |
|---|---|
| GEISHA | Ganz einfach. Hinten in der Ente. |
| KYOTOER | In welcher? *Pause* Und wann? |
| SCHEVENINGER | Enten aufklappen. |
| TEEDAME | Erst muß ich eine finden. |
| SCHEVENINGER | Unter den Kommoden. |
| TEEDAME | Hast du immer gesagt. Aber das ist zu unbestimmt. |
| SCHEVENINGER | Neben den Kommoden. |
| TEEDAME | Unter den Schränken? |
| GEISHA | Dort ist es sehr leicht. Dort findet man sie. |
| TEEDAME | Die kleinen? |
| SCHEVENINGER | Welche? |
| TEEDAME | Die kleinen. |
| SCHEVENINGER | Warum die kleinen? |
| TEEDAME | Also die kleinen. |
| SCHEVENINGER | Wie du siehst. Aber ich glaube, du steckst in den kleinen. |
| KYOTOER | Vorn oder hinten? |
| SCHEVENINGER | Neben den Myriaden von Waschtischen steckst du in den kleinen. |
| TEEDAME | Wo sollte ich sonst stecken? |
| KYOTOER | Warum? |
| TEEDAME | Wo sonst? |
| GEISHA | Du solltest, wenn du nicht in den kleinen stecktest, die kleinen an dir umhertragen. *Pause* Um zu sehen, um besser zu sehen. |
| TEEDAME | Um die Enten zu sehen, meinst du. |
| KYOTOER | Zu ihnen? |
| GEISHA | Zu diesen ganzen Enten. |
| TEEDAME | Zu diesen ganzen? |
| GEISHA | Genau gesagt, zu den beiden Enten. |

| | |
|---|---|
| TEEDAME | Der großen und der kleinen. Zu der großen und der kleinen. *Pause* Wer hätte gedacht, daß die beiden einzigen Brillenträger, die je in einer großen aufgeklappten steckten, so drängend auf diese ganzen Enten zu sprechen kämen. |
| GEISHA | Wenn sie sie sehen. |
| TEEDAME | Bah. Womit? |
| GEISHA | Mit den Brillen. |
| TEEDAME | Mit welchen? |
| GEISHA | Mit den kleinen Brillen. Millionen kleine Brillen. |
| KYOTOER | Millionen große Brillen neben Millionen Waschtischen. |
| TEEDAME | Hast du die Brillen an? |
| GEISHA | Welche? |
| TEEDAME | Die Millionen kleinen. |
| GEISHA | Eine Million kleine habe ich an, glaube ich. |
| TEEDAME | Fühl mal nach. |
| KYOTOER | Zuwenig Finger. *Pause* Da liegen sie. |
| SCHEVENINGER | Welche? |
| KYOTOER | Millionen große. |
| SCHEVENINGER | Also hast du eine Million kleine an. |
| TEEDAME | Welche Brille? |
| GEISHA | Die kleine. |
| KYOTOER | Die kleine liegt unter dem Waschtisch, glaube ich. |
| TEEDAME | Tast mal ab. |
| SCHEVENINGER | Da liegt sie ja. |
| KYOTOER | Welche? |
| GEISHA | Die große. |

| | |
|---|---|
| SCHEVENINGER | Also hast du die kleine an. |
| GEISHA | Ich glaube nicht. Ich habe keine. |
| KYOTOER | Oder du hast die große an und die kleine gefunden. |
| SCHEVENINGER | Die kleine Ente? |
| KYOTOER | Jene Ente, die unter dem Waschtisch liegt. *Pause* Ich glaube, du hast keine an. Siehst du mich? |
| GEISHA | Du steckst hinten in der großen Ente. |
| SCHEVENINGER | In welcher? |
| GEISHA | Es gibt nur eine. Sie ist sehr groß, glaube ich. |
| SCHEVENINGER | Ist sie hinten aufgeklappt? |
| KYOTOER | Genau wie der Waschtisch. Aber ich kann es nicht genau sehen. |
| GEISHA | Natürlich siehst du den Tatbestand nicht. Trotzdem ist sie aufgeklappt. |
| KYOTOER | Wo? |
| GEISHA | Du hast keine Brille an. Wir werden eine Ente suchen, in die du hineinpaßt. |
| TEEDAME | Für mich die große Brille. Wenn es geht. |
| KYOTOER | Die Ente muß hinten aufgeklappt werden. Es ist ratsam, daß das rasch geschieht. Die Ente wartet nicht gern. |
| SCHEVENINGER | Schau doch mal im Schrank nach. |
| KYOTOER | Ich weiß nicht, ob ich das sähe. |
| TEEDAME | Hast du die Brille an? |
| KYOTOER | Die kleine? |
| GEISHA | Welche? |
| KYOTOER | Die kleine. Ob ich die kleine Brille anhab? |

| | |
|---|---|
| TEEDAME | Das frag ich dich. |
| KYOTOER | Die kleine hab ich an, glaube ich. Klapp die Ente auf. |
| GEISHA | Aufgeklappt. |
| SCHEVENINGER | Ich sehe diesen Tatbestand nicht. |
| TEEDAME | Du scheinst die kleine Brille anzuhaben. Die nützt nichts. *Pause* Wir müssen die große suchen. |
| SCHEVENINGER | Die große Ente? |
| TEEDAME | Ja. Die aufgeklappte große Ente. Nur die hilft. |
| SCHEVENINGER | Schau doch unter dem Schrank nach. |
| TEEDAME | Natürlich ist sie unter dem Schrank. Aber wir kriegen sie nicht darunter hervor. |
| SCHEVENINGER | Aber unter der Kommode kriegen wir sie hervor. |
| TEEDAME | Leider liegt sie nicht unter der Kommode. |
| GEISHA | Wer? Die Brille? |
| KYOTOER | Ich weiß es nur von einigen. |
| GEISHA | Was? |
| KYOTOER | Daß wir sie aufklappen müssen. Wir müssen diese Milliarde Enten hinten aufklappen, sobald wir sie sehen. |
| GEISHA | Wir werden einige sehen. |
| KYOTOER | Welche? Die kleinen? Die großen sind das Unnützeste. |
| SCHEVENINGER | Ich sehe die Tatbestände nicht. |
| KYOTOER | Mit einer Million kleiner Brillen sieht man keinen Tatbestand. *Pause* Wir müssen uns beschränken. Auf eine Milliarde. |

| | |
|---|---|
| GEISHA | Auf keine! |
| TEEDAME | Auf keine kleine! |
| KYOTOER | Auf keine große. Die großen sind das Unnützeste was es gibt. Einzeln. Aber eine Milliarde großer ist immer noch unnützer, noch viel unnützer. |
| TEEDAME | Darauf wollte ich dich hinweisen. |
| GEISHA | Was hast du mit deiner Milliarde Enten vor? Alle hinten aufklappen? |
| KYOTOER | Wenn auch. Ich würde es nicht schaffen. Ich sehe sie schon nicht. Und dann, wenn ich sie sähe, könnte ich keine Milliarde hinten aufklappen. |
| GEISHA | Vorn schon. |
| TEEDAME | Vorn schon. Aber nicht eine Milliarde. |
| SCHEVENINGER | Eine Milliarde was? |
| KYOTOER | Eine Milliarde Brillen. *Pause* Aber erst müssen die alle gefunden werden. |
| SCHEVENINGER | Neben dem Waschtisch? |
| KYOTOER | Siehst du den? |
| SCHEVENINGER | Noch einfacher: unter der Kommode. |
| KYOTOER | Siehst du die? |
| SCHEVENINGER | Ganz einfach: unter dem Schrank. |
| TEEDAME | Wo? |
| SCHEVENINGER | Noch einfacher: unter einer Million Waschtischen. |
| KYOTOER | Ja, das ist einfach. |
| TEEDAME | Das wollte ich dir zart andeuten. |
| KYOTOER | Das sehe ich. *Pause* Aber ich schwimme. |
| TEEDAME | Natürlich schwimmst du. Du trägst keine Million große. |

GEISHA     Trotzdem sind sie aufgeklappt.

KYOTOER     Die Enten neben den Waschtischen?

TEEDAME     Wo?

GEISHA     Du hast keine Million Brillen an. Wir werden eine Milliarde Enten suchen in die hinein wir dich zerteilen. Jede trägt ein Stück von dir unter den nächsten Schrank.

SCHEVENINGER     Für mich große. Wenn es tunlich sein sollte.

KYOTOER     Die müssen milliardenfach vorn aufgeklappt werden. Ich habe vor langer Zeit einmal gesagt, dies müsse rasch vor sich gehen. Es ist jetzt unwiderruflich zu spät, aber das ist unerheblich, es ist nämlich einfach viel zu gefährlich, verglichen mit früher, als ich gesagt habe: Dies muß rasch geschehen.

TEEDAME     Neben den Schränken gehts rasch.

SCHEVENINGER     Wenn wir neben die Schränke kämen. *Pause* Ich sehe nicht einmal einen einzigen Schrank.

GEISHA     Ich weiß nicht, ob ich einen sähe. *Pause* Aber ich habe ja nie überhaupt etwas gesehen.

# Zweiter Akt

Der 2. Akt spielt im Nachtlokal unter dem kleinen Zimmer des Stundenhotels. Das Meer reicht in einer künstlichen Miniaturbucht weit in den Raum herein. Über der Meeresoberfläche der dunkle große Ventilatorschacht mit seiner vom Guano weißverklebten Mündung. Laute schwere Vogelschreie schwirren um Scheveninger und Kyotoer, die beide in schwarzen, enganliegenden Abendanzügen stecken, eine weiße buschige Feder im Revers. In der Decke des Raumes ist zwischen zwei geborstenen Balken ein Durchlaß, ähnlich dem in der Matratze des 1. Aktes. Bei Beginn des 2. Aktes steigt die nackte Geisha auf einer biegsamen Bambusleiter vom Durchlaß in den Raum herunter. Mittelstarke bis starke Bö im Raum. Die Beleuchtungsstärke entspricht einer schweren Batterie Neonröhren, vor welchen bunte Papierbänder hängen. Leichte Dünung in den Drinkgläsern, in welchen Milch tanzt. Von einem ›88 upright‹ Klavier, das auf einem Yamaha-Flügel oben steht, dringt ein penetranter, trister Chorgesang. Der Boden des Nachtlokals ist sehr schräg. Das Haus droht nicht zu kentern, weil es gekentert ist.

SCHEVENINGER     Es gibt nur eine Zeitpanne . . .

KYOTOER     Du meinst, ZeitSpanne . . .

SCHEVENINGER     Zeitpanne . . .

TEEDAME     ZweitSpanne . . .

SCHEVENINGER     Zeitpanne . . .

| | |
|---|---|
| TEEDAME | Warum? |
| SCHEVENINGER | Es gibt nur eine. |
| TEEDAME | Wo? |
| SCHEVENINGER | Ganz einfach. Über der Kommode. Eine große. |
| TEEDAME | Brille? |
| SCHEVENINGER | Eine große Zeitpanne. |
| KYOTOER | Eine kleine Zeitspanne, meinst du. |
| SCHEVENINGER | Habe ich mal gemeint. |
| GEISHA | Wann? |
| SCHEVENINGER | Als ich von der großen sprach. |
| TEEDAME | Der Brille? |
| SCHEVENINGER | Nein, der Zeitpanne. *Pause* Sie zerrt dermaßen an dem armen Schrank, weißt du. |
| KYOTOER | Das wollte ich dir schon andeuten. |
| SCHEVENINGER | Aber das hast du mir längst angedeutet. Nur darum komme ich doch überhaupt auf diese Gedanken. |
| KYOTOER | Eigenartig. *Pause. Flüsternd* Ich habe diese Gedanken, weil ich mich von dir zu ihnen gedrängt fühle. |
| SCHEVENINGER | Damals, bei der kleinen. |
| KYOTOER | Natürlich, bei der kleinen. Die große sei das Unnützeste schlechthin, haben wir festgestellt. |
| GEISHA | Wann? |
| KYOTOER | Damals, bei der großen. |
| SCHEVENINGER | Bei dem Unnützesten schlechthin haben wir doch nicht etwa etwas festgestellt? *Pause* Wir hätten also bei der kleinen, ich meine, ohne die große gesehen zu haben, etwas festgestellt? |

| | |
|---|---|
| GEISHA | Wann? |
| SCHEVENINGER | Damals, beim Aufklappen. |
| KYOTOER | Damals, unter dem Waschtisch. |
| SCHEVENINGER | Im Schrank. *Pause* Aber auch im Schrank haben wir nichts gesehen. Geschweige denn den Schrank. Weil wir im Schrank den Schrank nicht gesehen haben . . . |
| KYOTOER | Den sehen wir. Mit der kleinen. |
| SCHEVENINGER | Weil die große das Unnützeste überhaupt ist. |
| TEEDAME | Wo? *Pause Über* dem Schrank ist sie schon ganz nützlich. |
| SCHEVENINGER | Wozu? |
| TEEDAME | Ich sehe diesen Tatbestand der Unnützlichkeit kaum. *Pause* Zugegeben, sie ist nicht ganz wie die kleine. |
| SCHEVENINGER | Welche? |
| TEEDAME | Die ist auch nicht aufgeklappt. Und wenn sie es wäre, sähen wir es nicht. Aber sie ist nicht unnütz. *Über* dem Schrank ist sie das nicht. |
| GEISHA | Aber wir wissen nicht, wo der Schrank steht. |
| TEEDAME | Ganz einfach. Hinten in der Ente. |
| GEISHA | In welcher? *Pause* Und wann? |
| TEEDAME | Als ich meinte, du sollest die Ente aufklappen und hindurchschauen. |
| GEISHA | Erst finden. |
| SCHEVENINGER | Unter der Kommode? |
| TEEDAME | Hast du gesagt. Aber kein Beweis ist bisher gefunden. |
| GEISHA | Mit der großen sieht man es. |

| | |
|---|---|
| TEEDAME | Mit welcher? |
| GEISHA | Mit der kleinen. |
| TEEDAME | Mit welcher? |
| GEISHA | Was meinst du? |
| TEEDAME | Wo? *Pause* Unter dem Waschtisch, vermutlich, wie ich dir andeuten wollte, als ich dir sagte, du steckst unter dem Schrank, aber noch lieber unter der Kommode hinten in der kleinen und mußt sie rasch aufklappen. |
| GEISHA | Daran erinnere ich mich. |
| SCHEVENINGER | Woran? |
| GEISHA | Aber nur ein bißchen. |
| TEEDAME | Du erinnerst dich also. *Pause* Die Erinnerung setzt ein. |
| GEISHA | Du habest früher einmal gesagt, das Aufklappen müsse rasch geschehen, beim zweitenmal Erinnern sei es noch nicht zu spät, aber doch schon gefährlicher als früher, als du gesagt habest . . . |
| SCHEVENINGER | Wann? |
| GEISHA | Damals, bei der kleinen. |
| SCHEVENINGER | Natürlich, bei der kleinen. Die große sei unnütz, haben wir festgestellt. |
| TEEDAME | Wann? |
| KYOTOER | Wir schwimmen. |
| GEISHA | Zieh die Million Brillen an. |
| TEEDAME | Die großen? |
| GEISHA | Welche? |
| TEEDAME | Die großen. |
| KYOTOER | Warum die großen? |
| GEISHA | Die sollst du anziehen. |

| | |
|---|---|
| TEEDAME | Warum die großen? |
| GEISHA | Zieh die Million großer Brillen an. *Pause* Dann sehen wir etwas. Die großen helfen beim Sehen. |
| KYOTOER | Die großen. Die kleinen Enten sind neben dem Waschtisch. |
| TEEDAME | Sie scheinen weit gereist zu sein. |
| GEISHA | Was? |
| TEEDAME | Weit gereist. Die kleinen. |
| GEISHA | Warum? |
| KYOTOER | Die großen sind das Unnützlichste. Da reisen die kleinen. Wenn sie einen Waschtisch finden, stellen sie sich neben ihn. |
| TEEDAME | Der arme Waschtisch wird von dieser Milliarde zerdrückt. |
| KYOTOER | Das werden wir sehen. |
| GEISHA | Das wollen wir sehen. |
| TEEDAME | Das wollte ich dir andeuten. |
| GEISHA | Wann? |
| TEEDAME | Als ich meinte, du sollest wenigstens eine unter diesen Milliarden von Enten aufklappen. |
| SCHEVENINGER | Erst muß ich eine finden. |
| TEEDAME | Unter den Kommoden. |
| SCHEVENINGER | Hast du immer gesagt. Aber das ist zu unbestimmt. |
| TEEDAME | Neben den Kommoden. |
| GEISHA | Unter den Schränken. |
| TEEDAME | Dort ist es sehr leicht. Dort findet man sie. |
| SCHEVENINGER | Die kleinen? |
| KYOTOER | Welche? |

| | |
|---|---|
| TEEDAME | Die kleinen. |
| SCHEVENINGER | Warum die kleinen? |
| KYOTOER | Also die kleinen. |
| TEEDAME | Wie du siehst. Aber ich glaube, du steckst in den kleinen. |
| SCHEVENINGER | Vorn oder hinten? |
| TEEDAME | Neben den Myriaden von Waschtischen steckst du in den kleinen. |
| SCHEVENINGER | Wo sollte ich sonst stecken? |
| KYOTOER | Warum? |
| SCHEVENINGER | Wo sonst? |
| TEEDAME | Du solltest, wenn du nicht in den kleinen stecktest, die kleinen an dir umhertragen. *Pause* Um zu sehen, um besser zu sehen. |
| SCHEVENINGER | Um die Enten zu sehen, meinst du. |
| TEEDAME | Die Enten? |
| SCHEVENINGER | Sogar die großen. |
| TEEDAME | Anhand einer Ente neben dem Waschtisch, in der du steckst. |
| SCHEVENINGER | Glaube ich. *Pause* Ich werde sie an mir umhertragen. |
| KYOTOER | Wie viele? Eine Milliarde? |
| SCHEVENINGER | Eine. |
| KYOTOER | Eine Milliarde wäre besser. |
| GEISHA | Eine Milliarde was? |
| KYOTOER | Eine Milliarde Enten. |
| SCHEVENINGER | Ich kann nicht eine Milliarde Enten an mir umhertragen. |
| KYOTOER | Aber neben dir. |
| SCHEVENINGER | Ich kann keine einzige Ente neben mir umhertragen. Geschweige denn eine kleine Brille. |

| | |
|---|---|
| KYOTOER | Eine kleine Ente aber. |
| SCHEVENINGER | Was damit? |
| KYOTOER | Eine kleine Ente unter einem kleinen Schrank. |
| GEISHA | Das wäre leicht. |
| SCHEVENINGER | Was wäre leicht? |
| GEISHA | Diese kleine Ente unter einem kleinen an mir umherzutragen. |
| SCHEVENINGER | Wann wäre das leicht? |
| GEISHA | Sobald ich sie zuklappe. |
| KYOTOER | Aber du steckst ja in ihr. |
| SCHEVENINGER | Im Bug der kleinen. |
| KYOTOER | Welcher? |
| TEEDAME | In welcher, meinst du? |
| SCHEVENINGER | Ja. |
| GEISHA | Im Bug der Ente. |
| KYOTOER | Wo? |
| GEISHA | Über dem Schrank. Sie drückt den armen Schrank unter sich zusammen. Er zersplittert, der arme. Darum sage ich, daß nur die kleine dir nützt. |
| KYOTOER | Wenn ich sie sehe und aufklappe. |
| SCHEVENINGER | Wen? Die Brille? |
| KYOTOER | Die Ente. |
| TEEDAME | Wir schwimmen. *Pause* Wie man es tut, wenn man vorn in der kleinen Ente steckt, die auf dem Waschtisch steht. |
| GEISHA | Das wollte ich dir andeuten. Aber du drehst mein Inneres nach außen, was schmerzt. Dafür drehst du mein Äußeres nach innen, was auch schmerzt. *Pause* Natürlich wären wir auf dem |

Waschtisch, aber noch wahrscheinlicher wären wir auf der Kommode. Wenn wir irgendwo wären, müßten wir hinten in der großen Ente auf der Kommode schwimmen.

SCHEVENINGER Das möcht ich mal sehen.

GEISHA Kannst du ja.

TEEDAME Mit der kleinen. Mit der großen nicht.

KYOTOER Die hilft auch nichts.

GEISHA Die ist bestimmt das Unnützeste schlechthin. *Pause* Wie ich dir immer andeuten wollte.

SCHEVENINGER Womit andeuten?

TEEDAME Wann?

SCHEVENINGER Wo, hast du gefragt.

TEEDAME Ich meine, wann habe ich »wo« gefragt?

SCHEVENINGER Als ich gefragt habe, welche.

GEISHA »Welche« ist einfach. Es ist die große.

KYOTOER Glaube ich.

GEISHA Glaube ich? *Pause* Wir glauben, die große. *Pause* Aber wo? Die Frage stellt sich.

KYOTOER Und doch sieht man es leicht.

SCHEVENINGER Wenn sie aufgeklappt ist, die Ente.

KYOTOER Falsch. Wenn man es überhaupt sieht. Wenn man es denn eigentlich sieht, sieht man es auch ohne weiteres, darum, weil man es ziemlich leicht sieht, glaube ich, die große nicht weniger als die kleine, ich meine, den Tatbestand, daß . . .

TEEDAME Wo, das ist die Frage.

| | |
|---|---|
| KYOTOER | Den Tatbestand, daß hier die kleine beziehungsweise die große gefunden wurde auf dem Schrank. |
| TEEDAME | Wo? |
| GEISHA | Auf der Kommode. |
| TEEDAME | Ja? |
| GEISHA | Auf dem Waschtisch. Die große drückt den armen Waschtisch unter sich zusammen. |
| TEEDAME | Tut sie. Dann mußt du sie aufklappen und den Waschtisch in ihrem Bug verschwinden lassen. |
| GEISHA | In welchem Bug? |
| SCHEVENINGER | Die kleine, glaube ich. *Pause* Was hast du gefragt? |
| TEEDAME | Die große, glaube ich. |
| GEISHA | Das hast du gefragt. |
| TEEDAME | Was? |
| SCHEVENINGER | Das hast du gefragt. *Pause* Die kleine, vermutlich. |
| TEEDAME | Welche? |
| GEISHA | Eine Ente. |
| TEEDAME | Was? |
| SCHEVENINGER | Das hast du gesagt. |
| TEEDAME | Ich habe gesagt, die kleine. |
| GEISHA | Welche? |
| SCHEVENINGER | Warum, welche? |
| TEEDAME | Es kann auch die große sein. |
| GEISHA | Welche? |
| TEEDAME | Die große. |
| GEISHA | Die große also. *Pause* Sicher? |
| TEEDAME | Die große, glaube ich. *Pause* Wo denn? |

| | |
|---|---|
| SCHEVENINGER | Hast du gesagt. |
| TEEDAME | Hab ich nicht. *Pause* Ich habs dir nachgesagt. |
| GEISHA | Wann? |
| TEEDAME | Wieso, wann? Wo, hast du gefragt! |
| KYOTOER | Tast mal ab. |
| GEISHA | Da liegst du ja. |
| KYOTOER | Ich Großer. |
| GEISHA | Was? |
| KYOTOER | Ich Großer. |
| GEISHA | Es gibt Myriaden Große wie du. *Pause* Da liegst du ja. |
| KYOTOER | Da liege ich. |
| TEEDAME | Wo liegst du? |
| SCHEVENINGER | Über der Kommode. |
| GEISHA | Du drückst die arme Kommode zusammen unter dir. |
| KYOTOER | Ich Großer. |
| GEISHA | Die arme kleine Kommode. |
| TEEDAME | Die arme kleine, glaube ich. |
| KYOTOER | Tast mal ab. |
| TEEDAME | Die arme kleine, glaube ich. |
| KYOTOER | Das wollte ich dir damit andeuten. |
| TEEDAME | Die kleine Kommode, glaube ich. *Pause* Was hast du gesagt? |
| GEISHA | Die arme kleine, glaube ich. |
| SCHEVENINGER | Das hast du gesagt. |
| TEEDAME | Stimmt, das habe ich gesagt. |
| SCHEVENINGER | Das habe ich gesehen. |
| TEEDAME | Weil ich es dir angedeutet habe. *Pause* Anhand einer großen. |
| SCHEVENINGER | Einer was? |
| TEEDAME | Es ist allmählich bewiesen. *Pause* |

Noch leichter. *Pause* Es ist bereits bewiesen.

SCHEVENINGER Die großen sind das Unnützeste. Aber
eine Myriade großer sind bestimmt
noch unnützer.

TEEDAME Unnützer als eine Myriade kann nichts
sein.

SCHEVENINGER Nichts unnützeres ist auf der Welt als
ein Schwarm große.

TEEDAME Brillen?

SCHEVENINGER Große Enten.

TEEDAME Die großen also. *Pause* Wo denn?

KYOTOER Die großen. Die großen. *Pause* Die
großen Ewigen.

GEISHA Wo denn?

KYOTOER Unter deiner Brille.

GEISHA Neben meiner Brille. *Pause* Wann?

SCHEVENINGER Vor einer langen Zeitpanne. *Pause*
Jetzt habe ich sie an.

KYOTOER Welche?

SCHEVENINGER Die kleine.

KYOTOER Besser als nichts. *Pause* Und was siehst
du?

SCHEVENINGER Wir stecken vorn in ihr.

KYOTOER In ihr also.

SCHEVENINGER Wir stecken vorn in der großen. Auf
dem Waschtisch. Wie befürchtet.

KYOTOER Hast du die richtige Brille an?

GEISHA Hast du die Brille an?

TEEDAME Welche?

GEISHA Die kleine.

KYOTOER Die kleine hab ich an, glaub ich.

SCHEVENINGER Fühl mal nach.

| | |
|---|---|
| KYOTOER | Da liegt sie ja. |
| SCHEVENINGER | Welche? |
| KYOTOER | Die große. |
| SCHEVENINGER | Also hast du die kleine. |
| KYOTOER | Ich weiß es nicht. |
| SCHEVENINGER | Oder du hast gar keine. |
| TEEDAME | Was hast du mit deiner Ente vor? |
| GEISHA | Ich glaube, du hast die kleine an. Siehst du mich? |
| TEEDAME | Wenn auch. Du würdest mich ja nicht sehen. *Pause* Hast du alles in deiner Ente verstaut? |
| GEISHA | In welcher? |
| TEEDAME | Es gibt nur eine. |
| SCHEVENINGER | Klapp sie hinten auf. |
| TEEDAME | Ich sehe nicht, wo. |
| SCHEVENINGER | Natürlich siehst du nicht. Klapp sie trotzdem auf. |
| TEEDAME | Wo? |
| KYOTOER | Du hast keine Brille an. Wir werden eine Brille suchen, die dir geht. |
| SCHEVENINGER | Nur eine einzige kleine. |
| TEEDAME | Ganz falsch. *Pause* Tast mal. |
| GEISHA | Anhand einer. |
| TEEDAME | Anhand welcher? |
| GEISHA | Eine unter Millionen Brillen. *Pause* Wir sind mitten drin. *Pause* Klapp sie auf. |
| SCHEVENINGER | Vorn? |
| TEEDAME | Hinten. |
| SCHEVENINGER | Hinten? |
| TEEDAME | Nein, vorn. *Pause* Wo eigentlich? |
| GEISHA | Hast du gesagt. *Pause* Ich habs dir |

| | nachgesagt. |
|---|---|
| SCHEVENINGER | Darauf bin ich gekommen. |
| GEISHA | Und das wollte ich dir zart andeuten. |
| SCHEVENINGER | Daß ich darauf gekommen bin? |
| GEISHA | Ja. Da stehen sie. Die großen sind unter dem Schrank. |
| SCHEVENINGER | Erst finden. |
| KYOTOER | Unter der Kommode? |
| GEISHA | Eine einzige kleine. |
| KYOTOER | Eine einzige kleine? |
| TEEDAME | Das ist schlecht, aber nützlich. |
| GEISHA | Die großen scheinen sehr unnütz zu sein. |
| TEEDAME | Und erst eine Myriade großer! |
| GEISHA | Brillen? |
| TEEDAME | Diese Myriade großer sind das Unnützlichste. *Pause* Das sehen wir, denn wir wollen es sehen. |
| GEISHA | Tast mal ab. |
| KYOTOER | Du erinnerst dich also. *Pause* Die Erinnerung setzt aus. |
| SCHEVENINGER | Da liege ich also. |
| KYOTOER | Da liegen wir. *Pause* Vorn, vermutlich. |
| SCHEVENINGER | Wie ich ebenfalls meine. |
| KYOTOER | Vorn, vermutlich. |
| SCHEVENINGER | Wie ich ebenfalls meine. |
| KYOTOER | Bestimmt vorn. |
| SCHEVENINGER | Genau so meine ich es. |
| TEEDAME | Mit kleinen Brillen? |
| KYOTOER | Genau so. |
| GEISHA | Tast mal. |
| KYOTOER | Die Erinnerung setzt aus. *Pause* An- |

hand von Myriaden Erinnerungen kann nachgewiesen werden, daß eine aussetzen kann, und dies bemerkt man nicht.

GEISHA Dies müßte rasch geschehen.

TEEDAME Was?

SCHEVENINGER Kurze Zeitpanne noch.

GEISHA Dies ist bereits geschehen.

KYOTOER Die armen Schränke. Zerdrückt. Die armen Kommoden. Flachgepreßt. Die armen Waschtische. Überschwemmt und aufgeweicht.

TEEDAME Myriaden Waschtische. *Pause* Durch Myriaden von kleinen Brillen hindurch gesehen.

SCHEVENINGER Ich weiß es nur von einigen.

TEEDAME Was?

SCHEVENINGER Daß wir sie aufklappen müssen. Wir müssen diese Milliarde Enten hinten aufklappen, sobald wir sie sehen.

KYOTOER Wir werden einige sehen.

GEISHA Welche? Die kleinen? Die großen sind das Unnützeste.

SCHEVENINGER Ich sehe die Tatbestände nicht.

KYOTOER Mit einer Million kleiner Brillen sieht man keinen Tatbestand. *Pause* Wir müssen uns beschränken. Auf eine Milliarde.

TEEDAME Auf keine!

GEISHA Auf keine kleine!

KYOTOER Auf keine große. Die großen sind das Unnützeste was es gibt. Einzeln. Aber eine Milliarde großer ist immer noch

|            | unnützer, noch viel unnützer. |
|------------|-------------------------------|
| TEEDAME | Darauf wollte ich dich hinweisen. |
| GEISHA | Was hast du mit deiner Milliarde Enten vor? Alle hinten aufklappen? |
| SCHEVENINGER | Wenn auch. Ich würde es nicht schaffen. Ich sehe sie schon nicht. Und dann, wenn ich sie sähe, könnte ich keine Milliarde hinten aufklappen. |
| GEISHA | Vorn schon. |
| TEEDAME | Vorn schon. Aber nicht eine Milliarde. |
| KYOTOER | Eine Milliarde was? |
| SCHEVENINGER | Eine Milliarde Brillen. *Pause* Aber erst müssen die alle gefunden werden. |
| KYOTOER | Neben dem Waschtisch? |
| SCHEVENINGER | Siehst du den? |
| TEEDAME | Ich sehe keinen. |
| GEISHA | Keinen? |
| TEEDAME | Ich sehe keinen. |
| KYOTOER | Schau mal. |
| TEEDAME | Ich sehe keinen. |
| KYOTOER | Tast mal. *Pause* Da unten. |
| GEISHA | Da hinten? |
| KYOTOER | Dies muß rasch geschehen. |
| SCHEVENINGER | Was? |
| TEEDAME | Tast mal. |
| SCHEVENINGER | Da hinten? |
| KYOTOER | Da unten. *Pause* Dies muß rasch geschehen. *Pause* Tast mal. |
| SCHEVENINGER | Dies muß rasch geschehen. *Pause* Ich fühle etwas. |
| KYOTOER | Dies ist die große. |
| SCHEVENINGER | Die große Unnützliche. |

| | |
|---|---|
| GEISHA | Eine unter Myriaden. |
| SCHEVENINGER | Das meine ich auch. |
| KYOTOER | Sie erlöst uns. |
| GEISHA | Das meine ich auch. *Pause* Hast du sie aufgeklappt? *Pause* Siehst du sie? |
| KYOTOER | Da, hinten, da, unten. |
| GEISHA | Das meine ich auch. |
| KYOTOER | Da unten, da hinten. *Pause* Das meine ich auch. *Pause* Dies müßte sehr rasch geschehen. |
| SCHEVENINGER | Anhand von Myriaden. *Pause* Die Erinnerung hat ausgesetzt. *Pause* Eine kleine. Eine sehr kleine. |
| GEISHA | Das wollte ich dir andeuten. *Pause* Eine äußerst kleine. |
| SCHEVENINGER | Das macht nichts. |
| GEISHA | Das meine ich auch. |
| KYOTOER | Das sehe ich nicht. |
| TEEDAME | Das meine ich auch. |
| GEISHA | Meinst du? |
| TEEDAME | Was sagst du? |
| GEISHA | Meinst du? |
| TEEDAME | Das meine ich auch. |

*Ende*

# Rost
## oder das Denken ist immer

*Tragikomödie*

Turn, 103 Jahre alt, Spengler
Hofer, 117 Jahre alt, Mechaniker-Spengler

Die Tragikomödie spielt auf einem ›mechanischen
Friedhof‹, starker Regen. Turn und Hofer bauen aus
Ersatzteilen und aus dem Inhalt von Brotbüchsen ein
Mittagsmahl auf. Friedhofsteile werden zu Möbeln um-
geformt. Turn scheint über unerschöpfliche Vorräte an
Familienfotografien zu verfügen, Hofer über eine uner-
müdliche Betrachtungslust an denselben. Was ›Flasche‹
genannt wird, ist ein etwa mannsdickes, langes, aufrecht
stehendes Rohr mit Seitenschlitz, in welchen eine dünne
runde Scheibe nach Art eines Dampfschiebers einge-
schoben wird. In der Flasche kann aufgewärmt werden.
Entfernter Straßenlärm. Hinter der Mauer Passanten,
deren Köpfe über Mauer ragen, Turn und Hofer kaum
zugekehrt. Kerzenhalter. Ruhig sitzende Tauben. Frot-
tiertücher.

Was ist denn unsere allgemeine Absicht?

Mehr Freundlichkeit miteinander.

Und wie erreichen wir die?

Mit einer Diskussion über Ästhetik.

Das wird eine Ihrer Spötteleien.

Nicht im geringsten. Ich spotte nie.

Aber ja. Wollen wir noch eine Zwischenmaßnahme treffen?

Wofür?

Das Trieböl.

Was soll Trieböl?

Sie sind nicht zum Spotten aufgelegt. Das Trieböl dient zum Einreiben. Wir reiben uns damit ein. Gegenseitig. Falls der Pfad zur Freundseligkeit uns zu steil werden sollte.

Wo ist das Gefäß, in dem es steckt?

Es steckt in keinem Gefäß. Es schwebt im Raum herum.

Verstehe. Es schwebt im Raum herum. Und wo schwebt es am stärksten?

Auf der Ablage. Links von Ihnen. *Pause* Verzeihung. Vergeben Sie mir. *Pause* Links von MIR, wollte ich sagen. Es schwebt links von mir.

Mir schien es links von mir.

Das ist inzwischen richtiggestellt. Frage an Sie: Was ist Ihre ästhetische Empfindung?

Wann, um Himmelswillen?

Wenn ich freundlich zu Ihnen bin.

Sie verwandeln die erstrebte Freundseligkeit in eine Frage der Ästhetik.

In nichts anderes. *Pause* Ich muß mir eine Kapuze überziehen.

Warum? *Pause* Keine Antwort. *Pause* Ich ziehe mir auch eine über.

Sie fragten, warum ich die Kapuze überziehe. Ich kann Ihnen nicht mehr in die Augen blicken.

Das geht mir ähnlich.

Frage an Sie: Was ist Ihre ästhetische Empfindung?

Schon wieder: eine Empfindung!

Zum Beispiel: wenn Sie den Mond betrachten.

Wenn ich den Mond betrachte, ist meine Empfindung rund und weißlich.

Mit etwas Nachdenken ließe sich sagen . . .

Hornochse.

Bitte verwenden Sie mit mir die äußerste Liebenswürdigkeit, Sie Schwein.

Ich bin so liebenswürdig, daß Sie jetzt mit Öl bestrichen sind.

Bin ich ganz bestrichen? *Pause* Das sagt mir wiederum zu, bestrichen zu werden. *Pause* Bin ich ganz bestrichen?

Nicht ganz. Wir wollten zu mehr Liebenswürdigkeit gelangen.

Die haben wir doch erreicht.

Ich sagte, meine Empfindungen mit dem Mond seien rund und weißlich.

Dazu nun läßt sich sagen, daß Ihre Empfindungen mit dem Mond dieselbe Form haben wie der Mond selbst. Das ist erstaunlich. Eine Entdeckung.

Hornochse.

Bitte lassen Sie uns zu Ernsterem übergehen, sonst erwecken wir den Anschein, wir trieben Unsinn.

Ich verabscheue Sie.

Das ist genau, was sich alle wünschen. Daß wir uns überwerfen. Niemals!

Wichtig ist, daß wir etwas Entscheidendes zusammen tun.

Was wollen wir denn zusammen.

Denken.

Ehrenwerte Lösung. Ist es eine Lösung.

Ich sage stur vor mich hin: Denken wollen wir. Der Rest geht mich nichts an. Das Denken steht an der Wurzel unseres Fortbestands.

Dazu brauchen wir Zustände.

Denken aus Zuständen heraus.

Darum brauchen wir Zustände.

Ich bin in einem Zustand. Sie auch.

Ich habe keinen Zustand. Ich habe nur einen Vorsatz. Genügt das.

Ein Vorsatz ist fast so gut wie ein Zustand. Gewisse Verlängerungen des Vorsatzes ragen ins Gebiet des Zustandes herein. Von ihnen aus ist Denken möglich.

Möglich. *Pause* Das Licht um uns wird grün.

Erschreckt Sie das. Das geschieht oft. Hat mit uns nichts zu tun. *Pause* Ich möchte etwas über Ihren Vorsatz erfahren.

Dessen Natur ist eine entschiedene. *Pause* Diese grüne Karte hilft mir dabei. Was wählen Sie.

Ich ergreife und drücke diese Glühbirne.

Die Glühbirne! Und ich die grüne Karte!

Die grüne Karte! Und ich die Glühbirne!

Und mit der Glühbirne denken Sie. Munter drauflos.

Zu denken ist meine Absicht im weitesten Sinn.

Meine ja auch. Einverstanden. Wir müssen zusammen zum Denken kommen, wenn wir schon nicht mehr freundselig zueinander sind.

Das ist meine Absicht.

Meine auch. Wir sind uns ähnlich.

Jetzt brauchen wir Zustände.

Sie stecken ja in einem Zustand.

Ich will vor allem denken. Den Plan zu Ende führen. Übers Faß gebeugt denken. *Pause* Sie können so lange

zur Flasche sprechen.
Ihre Glühbirne!

Sie leuchtet auf! Ist sie irgendwo angeschlossen.

An meiner grünen Karte: Ich denke, bin am Denken:
Plötzlich leuchtet Ihre Glühbirne auf!: Ist Ihnen der
Zusammenhang deutlich.

Sehr deutlich.

Das Faß!

Ich beuge mich darüber. Meine Finger sind klebrig.

Meine Haare verschwinden im Kragen. Aber Ihre Finger sind klebrig. Das ist nicht dasselbe. Nun werden wir
freundselig denken müssen.

Das ehrt Sie.

Zu freundselig von Ihnen. *Pause* Ich kann Sie nicht
hören. Sie sprechen in die Flasche hinein. Aber das ist ein
freundseliger Zug von Ihnen.

Der hat meine Glühbirne zum Leuchten gebracht. Dies
ist der Beweis: Wir denken!

Ich verabscheue Sie.

Nicht schon wieder. Ich habe Ihnen gesagt, unsere Gegner warten nur auf ein Zeichen unseres inneren Zerfalls.
*Pause* Meine Glühbirne leuchtet. *Zärtlich* Wir denken,
zusammen!

Das denken Sie. Das ist bloß der erste Zustand. Ergreifen Sie die Karte. Übers Faß gebeugt, bitte.

Übers Faß gebeugt in die Flasche hineinsprechen.

In die Flasche hinein sprechen! *Pause* Frage an Sie: Was ist Ihre ästhetische Empfindung.

Wann.

Indem Sie in die Flasche hineinsprechen . . .

Vergessen Sie nicht: Ich bin übers Faß gebeugt. Lange ist das nicht durchzuhalten.

Indem Sie in die Flasche hineinsprechen, haben Sie eine ästhetische Empfindung. Welche.

Eine feuchte. Mir bleibt die Hand am Schenkel haften, wenn ich sie auf den Schenkel lege.

Legen Sie sie nicht da hin. Beugen Sie sich über das Faß.

Das Faß!

Das Faß!

Die grüne Karte!

Ihre Glühbirne ist daran angeschlossen. Der Beweis dafür, daß wir . . .

. . . zusammen denken! *Zärtlich* Es ist geschafft.

Denken Sie. Das ist der erste Zustand. Nun ergreifen Sie die Karte.

Nein. Ich will, daß wir zusammen denken.

Zusammen geht das schwer. Erst nach dem dritten Zustand. Den stellen wir jetzt her. Ergreifen Sie meine grüne Karte. Ich presse Ihre Glühbirne.

Er preßt meine Glühbirne!

Jetzt, übers Kreuz miteinander verbunden, geraten wir in die Erkenntnis. Diese ist ein Zustand, von dessen einem Ende aus ein Denken möglich ist. Das ist die kriterielle Evidenz. Wenn Sie eine solche wollen.

Ich will schon. Was will ich? *Pause* Ich will schon. *Ungläubig* Aber was?

Was wollen wir zusammen? *Pause* Denken geht nicht. *Pause* Sie kleben über den ganzen Körper hin. Sie haben sich zu sehr über das Faß gebeugt.

Über das Faß gebeugt!

Sie haben sich arg krumm gemacht.

Krumm gelacht! Es war im Zuge unserer Abmachung. Wir waren freundselig zueinander. Da habe ich mich übers Faß gebeugt und krumm gelacht. In die Flasche hinein gelacht!

Und.

Und. Krumm gelacht!

Ihre ästhetische Empfindung.

Wann.

Als Sie sich beugten übers Faß und in die Flasche sprachen.

Aber das zählte doch nicht. Ich bin nicht freundselig zu Ihnen gewesen. Ihre grüne Karte, da!

Die grüne.

Sie hat es Ihnen angezeigt.

Sie hätte.

Das wissen Sie doch schon längst, daß ich Sie verabscheue. Er reibt meine Glühbirne, die an seiner grünen Karte angeschlossen ist!

Der Anschluß ist ein entschiedener.

Die Glühbirne! Und er die grüne Karte!

Ehrenwerte Lösung. Ist es eine Lösung.

Ich sage stur: wir haben die Absicht, zum Denken zu kommen. Das schaffe ich nicht, wenn ich mich übers Faß beuge.

Ich spreche in die Flasche hinein.

In die Flasche!

In die Flasche hinein!

Das ist leider vorüber.

Das ging schnell, Sie Schwein.

Hornochse.

Wir waren bei der Glühbirne. Ich ergriff und preßte sie. Nein Sie.

Sie ergriffen und preßten mich.

Nein. Sie ergriffen und preßten die Glühbirne. Das ist möglich, wie es scheint.

Es scheint.

Das Faß!

Dieses Faß!

Über dieses Faß beugen Sie sich, wenn Sie sagen, es sei möglich, eine Glühbirne zu pressen!

Tu ich ja.

Tu ICH ja. Nein. Verzeihung. Sie tun's. Ich habe die grüne Karte.

Die grüne Karte! Und die Flasche! Die polierte Flasche!

Die Flasche!

Sie sprechen in die Flasche, wenn Sie behaupten, jemand ergreife hier die grüne Karte.

Ich kann nichts dafür.

Er kann nichts dafür! *Pause* Aber wir stellten fest, daß wir Zustände brauchen.

Zustände zum Denken.

Aus welchem Denken Freundseligkeit entstehen mag.

Warum nicht. *Pause* Sie die grüne Karte und ich die Glühbirne.

Und mit der Glühbirne denken Sie. Immer schön dem Strich nach. Ich verabscheue Sie.

Ein Geschenk für unsere Gegner.

Ein Geschenk.

Unsere Gegner erwarten, daß wir uns vor Stumpfsinn auseinanderleben, indem wir zunächst sehr intensiv zusammenleben, uns dann aber überwerfen.

Wer sind unsere Gegner.

Einer heißt Turn. Der andere Hofer.

Turn. Hofer. Kennen die das Faß.

Es sind gübte Hineinsprecher. Mit der Flasche sind sie nicht ganz so gut.

Und deswegen hassen sie uns.

Sie wollen, daß wir uns auseinanderleben. Können Sie sich noch erinnern, was wir am Anfang gesagt haben.

Und ob! An das, was wir GEMACHT haben.

Könnten wir es im Sinne eines Zitates nochmals üben.

Aber ja. *Zitiert* »Was ist denn unsere allgemeine Absicht.«

»Mehr Freundlichkeit miteinander.« Diesmal sag ich's schneller, als könnte ich es auswendig.

Sie können es auswendig.

Steht nicht zur Debatte. Wir sprechen von unseren Gegnern.

Turn und Hofer. Falsch. Wir beabsichtigen das Denken.

Das Denken in Freundseligkeit, in die Flasche hinein. Aber das hat mit unseren Gegnern zu tun.

Die Flasche!

Verdummen Sie mir nicht so auf einen Streich. Turn und Hofer haben doch mit uns etwas vor.

Das Faß! Krumm sich lachen übers Faß gebeugt!

Sobald wir uns überwerfen, stellen die uns das Denken ab. Darum habe ich schon früh auf die Freundseligkeit zwischen uns hingearbeitet.

Die Freundseligkeit! Das war also wegen Turn und Hofer.

Wie schauen Sie denn aus.

Wie ich ausschaue.

Nicht ganz. Sie sind ganz durchnäßt.

Haben Sie mir schon gesagt.

Diesmal wirkt es bedrohlich.

Ich verabscheue Sie.

Abscheu macht doch nicht so naß. Sie haben etwas Körperliches.

Etwas Körperliches, ja. Vielleicht habe ich zu lange in die Flasche gesprochen. Ich verabscheue auch die Flasche.

Meine Finger sind zusammengeklebt. Aber das wirkt als kleiner Unglücksfall verglichen mit Ihrem Aussehen.

Wenn ich naß bin, kann ich mich ja trocknen. *Abschweifend* Was wollen Turn und Hofer genau von uns.

Ich fürchte, diese Nässe läßt sich nicht abtrocknen.

Was wollen die beiden von uns.

Mit einem Stahlmantel vielleicht. Aber dann sind auch Sie weg.

Die haben was mit uns vor, haben Sie gesagt.

Ich habe gesagt, daß ich kein Mittel gegen diese Nässe sehe.

Kein Mittel.

Kein Mittel dagegen.

Kein Mittel gegen sie.

Kein Mittel gegen diese Nässe.

Wo ist sie denn?

Auf einem Körper. Dem Ihren.

Dem meinen. *Zitiert* »Wo ist sie denn?« *Pause* Auf dem Ihren ist die Nässe. Ihre Finger kleben, und Sie sind allüber naß.

Die Finger kleben dem einen, er wird sich die Finger aufschneiden. Aber der Körper ist naß beim andern, er wird sich nicht mehr trockenreiben können.

In die Flasche gesprochen.

Allzulange.

Sie Eber.

Freundseligkeit!

*Zitiert* »Auf unseren Streit warten unsere Gegner.« *Pause*
Kein Mittel gegen diese Nässe. Auch die grüne Karte
zeigt die Nässe an.

Aber es geht um Turn und Hofer.

Die uns das Denken abgewöhnen wollen.

Ob sie schon am Werk sind? *Pause* Erste Pflicht eines
jeden unter uns ist es, zum Denken zu kommen. *Pause*
Die Glühbirne zeigt es an durch Aufblinken.

Kein Mittel gegen diese Nässe.

Kein Mittel gegen Turn und Hofer, würde ich sagen.

Ich nicht.

Ein Mittel.

Das Faß! Krumm vor Lachen übers Faß gebeugt!

Keine Scherze jetzt. Haben Sie ein Mittel gegen Turn
und Hofer?

Übung.

Einübung?

Wir müssen allmählich zu tun anfangen, was die uns ohnehin befehlen werden. Am besten fangen wir jetzt schon freiwillig damit an.

Wir können uns gegen sie verteidigen?

Die gewinnen. *Pause* Ich kann fast nicht mehr denken. Zu lange in die Flasche gesprochen. Mein Körper ist allüber naß. Meine Finger kleben. Zu lange mich übers Faß gebeugt. *Pause* Ich habe nicht einmal einen Vorsatz mehr.

*Zitiert* »Erschreckt Sie das? Hat mit uns nichts zu tun. Ich möchte etwas über Ihren Vorsatz erfahren.« Erinnerst du dich daran?

Das war nicht ich.

Die grüne Karte! Und ich die Glühbirne! *Pause* Wie üben wir uns in Turns und Hofers Forderungen ein.

Materialien sammeln.

Mit Vorsatz.

Ein Vorsatz hilft nicht beim Materialiensammeln.

Ohne Vorsatz. Wo sind die Materialien?

Leer.

Verstehe. Sie existieren noch nicht. Wir müssen sie erst machen und dann sammeln.

Sie schweben in Kopfhöhe auf den Ablagen herum.

Links von mir.

Links von mir.

Ich höre Sie nicht. Sie sprechen ins Faß. Nicht freundselig von Ihnen.

Mehr Freundlichkeit miteinander.

Und wie erreichen wir die?

Mit einer Diskussion über die Ästhetik von Materialien. *Pause* Sie gaben zu Protokoll, Ihre ästhetische Empfindung beim Betrachten des Mondes sei diesem Mond ähnlich. Die Beschaffenheiten konvergieren. Dies sei die kritterielle Evidenz.

Links von Ihnen.

Streichen Sie mich nicht mit dem Trieböl ein.

Rechts von Ihnen.

Ich kann mich nicht mehr trockenreiben.

Turn und Hofer werden das übernehmen. Man kann viel, wenn man erst einmal nicht mehr denkt. *Pause* Materialien sammeln ist das Beste. Das Erste, was Turn und Hofer uns befehlen werden, wird sein, Materialien zu sammeln.

Materialien.

Ja, Materialien.

Materialien.

Ja, Materialien.

Die es nicht gibt.

Es gibt sie.

Es gibt sie nicht.

Es gibt sie.

Das ist doch unwichtig. Wir sammeln sie, und dafür braucht es sie nicht zu geben. Die gibt es dann schon, später.

Es gibt sie nicht.

Es gibt sie.

Zu freundselig von Ihnen. Ich kann Sie nicht hören. Sie sprechen in die Flasche hinein.

Übers Faß gebeugt.

Ich verabscheue Sie.

Unser Haß nimmt Gestalt an. *Pause* Wir sind allerdings ein bißchen eingefahren. Irgendwie komme ich mir, wenn ich mir so zuhöre, verstümmelt vor.

Ich bereichert.

Ich verstümmelt. *Pause* Links von Ihnen. *Pause* Der Verstümmelte.

Ich bin bereichert.

Ich verstümmelt.

Ich bereichert.

Ich verstümmelt. Aber darum geht es nicht. Es geht um die Freundseligkeit. Und wie erreichen wir die? Mit einer Diskussion über Materialien.

Mit einer Diskussion über die ÄSTHETIK von Materialien.

Über die Ästhetik. Ich bin verstümmelt. Über die Ästhetik.

Ich bereichere mich an der Ästhetik.

Das ist aber nicht das Wesentliche. Das Wesentliche ist, daß wir, wenn Turn und Hofer hier einfahren, alles schon freiwillig tun, was die uns befehlen werden.

Zum Denken muß gekommen werden!

Das wollen sie uns verbieten. *Pause* Das ist aber nicht das Wesentliche! Das Wesentliche ist es, daß unsere Gegner keine Freude an uns haben sollen.

Turn und Hofer.

Turn und Hofer.

Ja, Turn und Hofer sollen Freude an uns haben.

Keine Freude!

Freude.

Keine Freude! Dieses Gespann soll keine Freude an uns haben. Wir tun alles freiwillig, noch ehe die es uns befehlen.

Das widerspricht sich doch.

Inwiefern?

Wenn die uns nicht mal mehr was zu befehlen brauchen, und wir tun es schon, dann machen wir ihnen doch eine Freude.

Keine Freude.

Freude!

Keine Freude. Aber darum geht es gar nicht. Wichtig ist, daß wir unsere Gegner nicht aus dem Gedächtnis verlieren.

Die wollen ja nicht, daß wir Gedächtnis haben.

Doch. Nur denken sollen wir nicht. Gedächtnis dürfen wir haben.

Nein.

Doch. *Pause* Sie sind am ganzen Körper durchnäßt. Eine Bereicherung.

Eine Verstümmelung. Wie das, daß ich ewig übers Faß gebeugt sein muß. Gebeugt sein muß. Gebeugt sein muß.

Ich höre Sie nicht. *Pause* Materialien sammeln ist das Beste. *Pause* Sie sprechen, meine ich, in die Flasche hinein. Meine Finger kleben. Nur weil Sie in die Flasche hineinsprechen.

Jetzt spreche ich nicht in die Flasche. Kleben Ihre Finger noch?

Sie kleben noch. Also kleben sie nicht, weil Sie in die Flasche hineinsprechen. Verzeihen Sie mir. Das war unfreundselig von mir.

Und gut für unsere Gegner. Wie heißen sie? Turn und Hofer.

Turn und.

Und Hofer.

Besonders Hofer.

Sie meinen, Hofer ist schlimmer.

Nicht unbedingt. *Pause* Ich meine, Hofers Ästhetik sei
zu fürchten. Insbesondere da, wo sie nicht als ein in sich
geschlossenes System – zum Beispiel wenn er sich über
das Faß beugt – sondern als sein ästhetisches Empfinden
sich zeigt.

Hofer scheint verstümmelt.

Hofer ist bereichert.

Verstümmelt. Wie ich. *Pause* Er schafft das Denken ab.
*Pause. Überlegend* Was wollten Sie sagen über dieses so-
genannte ästhetische Empfinden unseres Feindes Hofer?

Er ist nicht unser Feind.

Ist er. Trieböl.

Er WIRD unser Feind sein.

Sprechen Sie nicht in die Flasche. Er ist unser Feind.
Alles andere höre ich nicht. *Zurückkommend* Was war los
mit dem ästhetischen Empfinden?

Erinnern Sie sich ans Gespräch, das wir über Ihr ästhetisches Empfinden führten? Wir haben über Ihre Empfindungen beim Betrachten des Mondes gesprochen.

Weißlich und rund.

Wer?

Meine Empfindungen.

Wann?

Beim Betrachten des Mondes, meine Empfindungen, ästhetisch, weißlich, rund.

Woraus sich im Analogieverfahren Ihre ästhetischen Empfindungen beim Betrachten einer beliebigen Sache feststellen lassen.

Turn und Hofer werden Ihnen das Denken wegnehmen.

Turn und Hofer. Besonders Hofer. *Pause* Turn auch. Ein bißchen.

Ihnen ein bißchen.

Mir ein bißchen das Denken wegnehmen. *Pause* Zumindest verstand ich Sie so, als Sie in die Flasche hineinsprachen.

Was ist in der Flasche?

Die Flasche ist nach dem Prinzip des Vulkans zu durchforschen. Man gelangt auf ihren Grund niemals. *Zurückschwenkend* Turn und Hofer werden auch Ihnen das Denken wegnehmen.

Noch floriert es.

Es floriert.

Es floriert sehr-sehr floriert es.

Floriert es? *Pause* Sehen Sie, wenn ich daran denke, wie unser Denken floriert, wird die Drohung, was wird, wenn Turn und Hofer es uns wegnehmen, nicht mehr allzu groß. In der Beruhigung, daß es ohne Denken gehen wird, das, was wir vorhaben, nämlich freundselig und mit Vorsätzen, unausgeführten, beladen übers Faß uns zu beugen und in die Flasche zu sprechen, daß dies ohne Denken gehen wird, verschafft Beruhigung. Und in der Beruhigung darüber, daß der Verlust des Denkens von mindestens einem Ästheten . . .

Ich will Sie nicht verstehen. *Pause* Hofer auf dem Grund der Flasche. Wir denken uns vor, um schließlich, als Erfolg des gut geführten Denkens, auf Hofer zu stoßen, der es uns wegnimmt, das . . .

. . . einem Ästheten, der glaubhaft macht, seine ästhetischen Empfindungen seien mit den Anlässen identisch, welche diese Empfindungen hervorrufen. Die Ästhetik beim Betrachten des Vollmondes ist ein Vollmond. Und die Beruhigung darüber, daß der Verlust des Denkens Beruhigung schafft, schafft nocheinmal Beruhigung.

. . . das Denken, das Hofer uns wegnimmt. *Sinnend* Rechts von Ihnen.

Wer?

Turn und Hofer. Besonders Hofer.

Rechts von Ihnen, Freund.

Freundseligkeit, bitte!

Mein »Freund« war nicht übel gemeint. Aber schreiten wir zur genauen Vorstellung, was Turn und Hofer mit uns anstellen werden. *Pause* Links von Ihnen. Eintreten Turn und Hofer.

Wo?

Ich sehe sie nicht. Aber sie treten ein.

Ich bin naß.

Und verstümmelt sind Sie.

Ich? Ich bin bereichert. Sie bekommen Ihre Finger vor Kleben nicht mehr auseinander. Nicht einmal . . .

Nicht einmal was?

Nicht einmal auf einen der beiden zeigen können Sie. Ihre Finger kleben.

Denken Sie. Mit dem, was Ihnen an Denken bleibt.

Ich verstehe Sie nicht. Zu sehr übers Faß gebeugt.

Unser Faß!

Verstümmelt!

Unser Faß!

Verstümmelt!

Sie Eber. Ende der Freundseligkeit, fürchte ich. Eintreten Turn und Hofer.

Auf dem Grund der Flasche!

Sie Eber!

Auf dem Grund der Flasche!

Sie Eber!

Bitte etwas freundseliger.

Eintreten Turn und Hofer. *Pause* Von deren Kastrationsgelüsten haben wir gesprochen. Wir haben es die ganze Zeit über, in die Flasche sprechend, mit deren Kastrationsgelüsten gehabt. Sozusagen naturgemäß sind wir von unserem Leben auf die Kastrationsgelüste anderer gekommen.

Wie du weißt: *Zitierend* »Der heftige Schmerz, welcher das Schreien auspresset, läßt entweder bald nach oder zerstöret das leidende Subjekt.« *Stoik anstrebend* Hofer, seinen Lessing dazu murmelnd.

Die Kastrationsgelüste!

Turn und Hofer, das große Paar!

Deren Kastrationsgelüste!

Besonders Hofer. Ich bin naß über den Körper. Meine Finger haften aneinander. Müssen mit dem Messer auseinandergeschnitten werden.

Rechts von Ihnen! Eintreten Turn und Hofer!

Ich will sie nicht sehen.

Erinnern Sie sich an unser Gespräch?

Zitatenweise.

Erinnern Sie sich nicht?

Zitatenweise.

Was heißt das? *Pause* Erinnern Sie sich so schlecht?

Zitatenweise.

Sagen Sie mir, woran Sie sich erinnern.

Die Kastrationsgelüste. Kaum versuche ich zu denken, komme ich vorwärts ins Gebiet derer, die mir das Denken wegnehmen.

Das gilt auch für mich. Woran erinnern Sie sich noch?

Zitatenweise.

Nicht WIE Sie sich erinnern! WORAN!

»Ich fürchte diese Nässe läßt sich nicht abtrocknen.«
Damit habe ich einen Körper gemeint.

Und zuvor?

Jemand anderer sagte: »Wenn ich naß bin, kann ich mich
ja trocknen.« Damit hat er Innenleben gemeint. *Pause*
Das gibt es ja nicht.

Was gibt es nicht?

Dieses Innenleben. Noch zuvor, ein anderer: »Was wollen Turn und Hofer von uns?«

Sie haben die Antwort gewußt.

Ich war nicht gefragt. Bin nie gefragt gewesen. Habe
übers Faß gebeugt in die Flasche hinein, bis naß und
meine Finger kleben.

Meine Finger.

Meine Finger.

Meine Finger. *Pause* Gleichgültig. Wird alles abgeschnitten. Links von Ihnen. Eintreten Turn und Hofer.

Turn und.

Und Hofer. Besonders Hofer. *Pause* Mehr Freundseligkeit, bitte.

Aus der Vulkanoidizität meiner Beobachtungen dieser Flasche supponiere ich ein Materialisieren insbesondere Hofers aus dieser beobachteten Flasche heraus.

Hofers Geist.

Hofers Geist, der uns das Denken wegnimmt. *Pause* »Verdummen Sie mir nicht so auf einen Streich. Turn und Hofer haben mit uns etwas vor.« Das habe nicht ich gesagt.

Ich etwa?

Auch Sie haben es nicht gesagt.

Wer hat es denn gesagt?

Es wurde gesagt. Wurde es? Es wurde gesagt.

Das ist eine Ihrer Spötteleien.

Ich spotte immer.

Hofers Kastrationsgelüste aus der Flasche.

Die Flasche! Das Denken! Und die Flasche! Und das Denken! Weg damit!

Die nehmen uns das Denken weg. Hofer allein kann dies nicht, wenn nicht Turn ihm hilft.

In seinem dunkellila Matrosenanzug stellt Turn sich in voller Größe vor Hofers Schandtaten. Hofer kann hinter Turns Rücken so viele kastrieren, wie er will, das Blut mag um Turns hochgummierte Seemannsstiefel glutschen, Hofer hat den Weg frei für seine entsetzenserregenden Absichten.

Ich bin verstümmelt.

Ich bin bereichert.

Ich bin verstümmelt.

Ich bereichert.

Ich verstümmelt.

Ich bereichert.

Verstümmelt.

Bereichert.

Etwas Freundseligkeit, bitte. *Pause* Über das Faß gebeugt.

Sie haben sich arg krumm gemacht.

Krumm gelacht! Es ist im Zuge unserer Abmachung geschehen. Wir sind sehr freundselig zueinander gewesen.

Umarmen Sie mich.

Wo?

Kreuzweise, Hand über die Schulter, andere Hand schlägt mich sanft aufs Kreuz.

Kreuzweise. So?

Nein. So.

So?

Nein, so.

So?

Nein. So. *Pause* Sie sind verstümmelt, Mann.

Ich bin bereichert. Sehr viel in die Flasche gesprochen. Ästhetik studiert.

Ehern?

Ehernes Studium. Dinge der Ästhetik sind die Ästhetik. »Was ist Ihre ästhetische Empfindung beim Betrachten des Mondes?« bin ich gefragt worden.

Rund und weißlich. *Rasch* Rechts hinten, die Flasche. Turns Matrosenmantel verdeckt sie. Hofer kriecht aus dem Flaschenhals. Seine Kastrationsgelüste folgen ihm.

Kastration verhindert unser Denken nicht.

Aber wir denken nur noch an die Kastration.

Dies ist kein Verlust. Eine Bereicherung.

Eine Verstümmelung!

Bereicherung! *Pause* Umarmen Sie mich.

Krumm gelacht!

Umarmen Sie mich! Wie? Kreuzweise! Die Hand, die mich sanft aufs Kreuz geschlagen hat, fährt zu den Schulterblättern hoch. Die andere Hand legt sich auf meinen Kopf. Er sucht Schutz. Mein Kopf sucht Schutz.

Schutz suchend.

Mein Kopf sucht Schutz. Es ist ihm unheimlich.

Die Unheimlichkeit weghaben wollend.

Die Unheimlichkeit.

Des Denkens. Es loswerden wollend. *Pause* Besonders Hofer. Turn auch ein bißchen. Aber Hofer hilft dabei, es loszuwerden. Er hilft dabei.

Umarmen Sie mich.

Kreuzweise?

Jetzt liegen wir da.

Nun sind wir aufgestanden. *Pause* Wir werden doch nicht mehr einfach so hinfallen vor Glück. *Sinnend* Wenn Sie Ihre Glühbirne noch hätten.

Ich habe Sie.

Ich habe das Trieböl verloren.

Es schwebt über dem Regal.

Wo. Links von mir?

Links von mir.

Links von Ihnen?

Links von Ihnen schwebt das Salböl.

Wo schwebt das Trieböl?

Was ist Ihre ästhetische Empfindung beim Anblick von Salböl? Die Empfindung IST Salböl. *Pause. Überlegend* Was ist Ihre ästhetische Empfindung bei Turn und Hofers Anblick? Sie ist Turn und Hofer!

Eine Ihrer Spötteleien.

Ich spotte immer. *Pause* Sie ergriffen mich und preßten die Glühbirne.

Die liegt da. Ich presse die Glühbirne.

Aber Sie ergreifen mich nicht. Mein Denken hat Angst. *Pause* Umarmen Sie mich kreuzweise.

Bis das Blut um Ihre Matrosenstiefel glutscht.

Die Hand, die zu den Schulterblättern hochgefahren ist, legt sich auch auf meinen Kopf. Ich habe zwei Hände nun auf meinem – endlich, endlich – Kopf. Damit hat er den Schutz, den er braucht.

Die Glühbirne!

Sie hat aufgeleuchtet. Kurz. Aber sie hat aufgeleuchtet.

Der Beweis!

Kein Beweis!

Der Beweis!

Unsinn!

Mehr Freundseligkeit für mich. *Pause* Ihr Glühen ist der Beweis, daß wir zusammen denken.

Dies ist meine Absicht gewesen. Aber ich habe es nicht geschafft.

Geschafft.

Sie sind daran schuld. Nicht geschafft.

Aus welchem Denken Freundseligkeit entstehen mag.

Hornochse.

Das kam schnell, Sie Schwein.

Unsere Gegner. Sie freuen sich an unserem Zerwürfnis.

Hofer, der Unsichtbare hinter Turns Matrosenanzug. *Zögernd* Auch Hofer trägt natürlich Matrosenanzug.

Dieses Faß!

Darin steckt Turn. Darin steckt Turn. Turn steckt darin.

Das Faß!

Turn steckt darin. Turn darin steckt! Turn, Turn!

Über dieses Faß werden die sich beugen, wenn die sagen, es sei unmöglich, unsere Glühbirne zu pressen.

Dabei ist es möglich. Ist es möglich? *Pause* Möglich, wie es scheint.

Die Glühbirne schmerzt entsetzlich. *Gekrümmt* »Wenn also auch der geduldigste Mann schreiet, so schreiet er doch nicht unabläßlich.« *Stoik heuchelnd* Hofer, wenn er einem das Denken wegnimmt, tut das unabläßlich mit etwas Lessing auf den Lippen.

Die werden es sagen.

Mitten unter uns. *Pause. Sinnend* Der Beweis.

Der Beweis.

Der Beweis. Ich ziehe mir die Kapuze über den Kopf. Aber das macht den Beweis nicht nichtig. Ich sehe ein,

es ist bewiesen, daß die mitten unter uns sich übers Faß
beugen und erzählen, es sei unmöglich, unsere Glühbirne zu pressen.

Damit hätten Turn und Hofer uns das Denken abgestellt. *Ärgerlich* Es hat mir zugesagt, mein Denken.

Es war damit nie weit her.

Es hat mir zugesagt!

Nie weit her damit!

Eine Bereicherung ist es gewesen!

Wie eine einzige Verstümmelung habe ich mich gefühlt!

Bereicherung.

*Flüstert* Verstümmelung. *Pause* Mehr Freundseligkeit
für mich. Womöglich muß die Freundseligkeit, die der
eigene über und über nasse Körper haben muß – er will
ja überleben – auf Kosten des Denkens hergestellt werden.

Deine Umwertung. Neue kriterielle Evidenzen. Du
Schwein.

Freundseligkeit!

Freundseligkeit, während du Turn und Hofer umwer-
test. Insbesondere Hofer, den Turn verdeckt, während
er seine Kastrationsgelüste auslebt an lebenden Objek-
ten.

Turn leidet auch an Kastrationsgelüsten.

Turn genießt die Kastrationsgelüste.

Ich ja auch.

Wie kannst du. *Sinnend* Wenn du bedenkst, daß du das erleiden mußt, kannst du dich doch jetzt nicht darüber freuen.

Schmelzen vor Freude.

Krähen vor Verstümmelung.

Freude ist eine Bereicherung. *Pause* Umarme mich. Kreuzweise.

Der Schutzsuchende?

Ja.

Der Vielundgroßenschutzsuchende will beide meine Hände auf einem seinem Kopf und streicheln streichelte gestreichelt.

Ja. Ich will. *Weint* Erinnerst du dich?

Woran? *Sinnend* Höchstens zitatenweise.

Bitte erinnere dich.

Jemand wollte Turn und Hofer umwerten. Da kann der doch nicht erwarten, daß ich mich auch noch erinnere.

*Pause* Zitatenweise will ich mich erinnern. Zitatenweise will ich es tun.

Erinnere dich.

Was gibst du mir dafür?

Einen Matrosenanzug. Den kannst du tragen. Da. Du bist schon halb drin.

Bis mein Blut glutscht.

Tut es ohnehin. Bitte, erinnere dich.

»Ihnen ein bißchen.« Was wollte das sagen?

Ich weiß es nicht. Was kam danach?

»Mir ein bißchen das Denken wegnehmen.« Dann kam eine Pause. Ich vermute, sie ist peinlich gewesen. Dann »Zumindest verstand ich Sie so, als Sie in die Flasche hineinsprachen.«

Das waren wir zwei. Wir haben uns unterhalten. Damals haben wir uns gesiezt.

Und seither?

Ich erinnere mich an einen kurzen Augenblick, daß wir vom förmlichen ›Sie‹ zum familiären ›Du‹ überwechselten, ganz so, als habe unsere Bekanntschaft bereits eine kleine Geschichte.

Täuschung.

Verstümmelung, ganz recht.

Keine Verstümmelung. Täuschung. *Sinnend* Sie denken da falsch.

*Zitiert* »Einen Matrosenanzug. Den kannst du tragen.« Ich sehe, wie Ihr ausgestreckter Arm das dunkle verborgene Loch inmitten der herabhängenden Wülste des dunkellila Stoffes sucht, um ins Loch zu fahren, um ins Loch zu fahren. *Zitiert* »Den kannst du tragen. Da. Du bist schon halb drin.«

Halb drin.

Fast halb drin.

Eine Bereicherung, halb drin zu sein. *Pause* Aber wozu?

Das Blut glutscht.

Vor Hofer sich stellen, während Hofer seine Kastrationsuntaten am lebenden Objekt auslebt.

Als Turn sind Sie der beste Turn, den man haben kann.

Hofer, diese Worte wurden herbeigesehnt von einem Unwürdigen, der kurzerhand beschlossen hatte, mit deren Ausgesprochenwerden ein Freudenfest anzustimmen.

Stimmen Sie an.

Begeisterung, daß ich mich als Turn eigne.

Die Eignung, ja. Eignung? Ja. Die Eignung.

Die gefühlte Bereicherung. Trieböl.

Sie sind naß über den ganzen Körper. Meine Finger kleben, aber Sie derart naß zu sehen, macht meinen allenfalls klebenden Finger zu einer Lächerlichkeit.

Was ich wohl im Augenblick tun will. Raten Sie. Ich errate es nicht. Mir ist nicht zu helfen. Ich kann nur noch Auskünfte geben, wenn ich selbst in den Auskünften nicht vorkomme. *Sinnend* Nur noch solche Auskünfte.

Das ist gut für uns.

Wie nehmen die uns das Denken weg?

Das ist nicht schlecht für uns.

Wie stellen die es an, es uns wegzunehmen?

Das wird uns zum Besten ausschlagen.

Die müssen raffiniert, verfeinert, äußerst verfeinert vorgehen, sonst bemerken wir die Wegnahme unseres Denkens.

Die Bereicherung!

Die Verstümmelung!

Turn neben Ihnen. Sucht sein Ärmelloch. Entdeckt die Flasche, da, er entdeckt die Flasche. Im Reden in sie hinein ist er nicht schlecht. Er deckt Hofer, der als Geist . . .

Wie nehmen die uns das Denken weg? *Pause* Spielen wir die Prognose?

Die Prognose!

Eine kurze Prognose!

Prognose nach dem Austoben von Hofers Kastrationsgelüsten, kurze Prognose. *Pause* Sind Sie einverstanden?

Was bekomme ich fürs Spielen dieser Prognose? Trieböl?

Mich. *Sinnend* Auch ich will etwas für meine Arbeit mit dem, der ich sein werde.

Sie bekommen mich.

Mich?

Sie bekommen einen von uns beiden. *Pause* Dann muß nicht mehr viel Zeit verstreichen, sondern ein blutiger Winter kann hereinbrechen über den, der Ihnen ausgeliefert wird, um der zu werden, der er eines Tages sein wird. *Erschöpft* Die Prognose.

Nichts anderes? *Pause* Ich muß mir eine Kapuze überziehen.

Das ist dasselbe wie Unterliegen. Nur schlechter. *Pause* Zu einem solchen hätte ich früher einmal »ABSCHEU-LICH!« gesagt. Jetzt ist mir meine Spucke zu schade.

Das ist genau, was die sich wünschen, daß wir uns überwerfen.

Das ist meine Absicht.

In die Flasche hinein sprechen! Frage an Sie: was ist Ihre ästhetische Empfindung.

Materialien sammeln für die beiden.

Über das Faß gebeugt!

Das ist leider vorüber.

Und mit der Glühbirne denken Sie. Immer schön dem Strich nach. Ich verabscheue Sie.

Verdummen Sie mir nicht so unverzüglich-unermüd-lich!

Kein Mittel dagegen.

Keine Scherze jetzt. Haben Sie ein Mittel gegen Turn und Hofer?

Besonders gegen Turn. Nein. Besonders gegen Hofer. Besonders. Vielleicht.

Mehr Freundlichkeit miteinander.

Zu freundselig von Ihnen. Ich will Sie nicht mehr hören.

Keine Freude!

Verstümmelung.

Freude.

Besonders Hofer.

Ihnen ein bißchen.

Wo?

Ich sehe die nicht. Aber sie treten ein. *Sinnend* Links von Ihnen, über der Ablage schwebend. Nun sind wir hingefallen. Umarmen Sie mich. Krūzewîse. Bis wir hinfallen.

Hingefallen! *Leise* Das meinte ich nicht. *Pause* Das wollte ich sagen. *Lauter* Das glaube ich! *Sinnend* Das wollte ich eben sagen. *Sehr laut* Meine Hände patschen auf das Wasser auf meiner Haut! *Leise* Not. Not. Not.

Hofer ist ziemlich naß.

Ich höre Sie nicht. Zu sehr in die Flasche hineinsprechend.

Aber die Glühbirne pressend, während in die Flasche hineinsprechend.

Sinnlos.

Die Glühbirne angeschlossen an Ihrer grünen Karte. Plötzlich aufleuchtend: die Glühbirne. Zusammen denken wir: so lautet der Schluß.

Der Schluß! *Sinnend* Floriert er? *Pause* Sehen Sie, wenn ich daran denke, wie unsere Zirkelschlüsse florieren, wird die Drohung, was sein wird, wenn Turn und Hofer uns die Fähigkeit zu Schlüssen wegnehmen, fast etwas Beruhigendes.

Eine Verstümmelung ist sie.

Sie Eber.

Etwas Freundseligkeit! *Pause* Ich. Das Trieböl. Sie mich damit eingestrichen habend merke ich. *Sinnend* Entgelt für meine beiden Hände auf dem Kopf, die beruhigen, beruhigen streichelnd.

Ja. Sie beruhigend. Ich habe Angst, Freund. Und mein ›Freund‹ ist liebenswert gemeint, fast drohend. Auf mein ›Freund‹ will ich ein ›Freund‹ zurück.

Sonst wehe.

Sonst garnichts. Ich kann kaum mehr drohen.

Ich kann kaum mehr denken.

Kaum mehr drohen!

Kaum mehr denken!

Mehr drohen.

*Flüsternd* Mehr denken.

Links von Ihnen. Eingetreten Turn und Hofer. Turn Hofer verdeckend. Ich bin übers Faß gebeugt mit meiner grünen Karte, Sie sprechen in die Flasche, Ihre Glühbirne mir hinstreckend, damit ich sie presse. Dies alles kümmert Turn und Hofer nicht. *Sinnend* Wir haben uns vorgedacht zu ihnen, die uns das Denken wegnehmen wollen.

Turn hilft mit. *Pause* Sie sind schrecklich verängstigt. Sie wissen nicht, was geschieht. Ich weiß es auch nicht. Aber ich kann versichern, es wird etwas geschehen, das unsere Verängstigung rechtfertigt. *Laufend* Das Faß!

Unser Faß!

Verstümmelt.

Unser Faß!

Verstümmelt.

Die Kastrationsgelüste!

Keine Heilung.

Nasser Körper. Alles klebt.

Was gibt es nicht?

Die nehmen uns das Denken weg. Hofer allein kann dies nicht, wenn nicht Turn ihm hilft.

Der hilft nicht.

Der hilft.

Der stellt sich quer.

Der verstümmelt mit.

Ich bin bereichert.

Ich verstümmelt. *Pause* Die Prognose wäre gespielt.

Noch nicht. Hören Sie. *Zitierend* »Nein, so.«

Umarmen Sie mich.

Kreuzweise.

Jetzt liegen wir da.

Die treten über uns weg.

Nicht schlecht für uns.

Nicht schlecht für uns. *Pause* Die Prognose wäre gespielt. Was geschieht nun?

Noch nicht. Hören Sie. *Zitiert* »Die Glühbirne hat aufgeleuchtet, kurz, aber sie hat aufgeleuchtet, kurz, aber sie hat, sehr kurz, aber sie hat, so daß es wahrzunehmen war, sehr kurz.« Haben Sie das gehört?

Die Glühbirne!

Aufgeleuchtet. Dank einem Anschluß an meiner grünen Karte. Schauen Sie, was ich jetzt unternehme.

Zerrissen!

Die Glühbirne kann nicht mehr angeschlossen werden, weil ich die grüne Karte zerrissen habe. Mit Grund habe ich sie zerrissen. Der Grund ist ein guter. Ich habe gehandelt nach Vorsatz.

Nach Vorsatz. Die grüne Karte ist zerrissen.

Dank Turn und Hofer. Besonders dank Hofer.

Dank Hofer!

Hofer!

Dank Hofer!

Hofer!

Und Turn.

Ein bißchen.

Und Turn.

Ein bißchen.

Hofer, und Turn, der Hofer deckt.

Sie nehmen uns das Denken weg.

Haben die bereits. Die werden es weiterhin tun.

Wie kannst du? *Sinnend* Wenn du bedenkst, daß du eine Kastration erleiden mußt, kannst du dich jetzt doch nicht darüber auch noch freuen.

Kann schon. Wird ohnehin alles abgeschnitten. Nur unsere Merkfähigkeit ist langsam. Sie hinkt hinter dem Abschneiden nach. Aber diese Merkfähigkeit wird wissen, wann es geschehen sein wird.

Dieses Innenleben.

Wegnehmen. Bitte.

Besonders Hofer. Wer vertilgt diesen Hofer in mir. Besonders diesen Hofer. *Sinnend* Soll ich Ihnen etwas sagen?

Nein. Sagen Sie mir nichts.

Ich bin nicht gefragt. Bin nie gefragt gewesen. Habe übers Faß gebeugt in die Flasche gesprochen, bis mein Körper naß gewesen ist.

Der ist immer naß gewesen.

Soll ich Ihnen etwas dazu sagen?

Sagen Sie mir nichts.

Meine Finger . . .

Meine Finger.

Das Trieböl.

Wofür? Trieböl?

Wollen wir nicht eine Zwischenmaßnahme treffen? *Pause* Unser Denken hat keine Zusammengehörigkeit gebracht. Was ist Ihre ästhetische Empfindung bei diesem Mangel?

Sie ist ein Mangel. Meine Empfindungen sind meine Mängel.

Außen Mängel, innen Mängel. Und sich vor Lachen übers Faß beugen.

Sie sind nicht einmal freundselig zu sich selbst. *Sinnend* Die Kapuze kann fallengelassen werden.

Meine nicht. Meine Kapuze bleibt übergeworfen über mich.

*Zitierend* »Sie sind nicht zum Spotten aufgelegt.« Was hat das sagen wollen?

Wahrscheinlich soviel wie *zitiert* »Ich denke, also bin ich spöttisch.«

Soviel wie *zitiert* »Ich denke, also fehlt mir sogar der Mut zum Spott übers Denken.« Sagt das nicht mehr und Genaueres über den Mangel?

Würde sagen. Aber das Denken ist abgestellt. Erinnern Sie sich?

Zitatenweise.

Wollen wir noch eine Zwischenmaßnahme treffen?

Nicht im geringsten. Ich spotte nie.

Turn und Hofer haben uns das Denken abgestellt. Das Blut glutscht.

Soll es. Nicht schlecht für uns.

Wir kommen an diesen Schnitten um.

*Die zerbrochene Glühbirne übers Handgelenk schleifend* Nicht schlecht für uns. Wir kommen um: Das ist das Zeichen, daß unser Denken abgestellt ist. Muß das schlecht sein?

Ich fühle mich äußerst verstümmelt.

Links von Ihnen. Verzeihung, links von MIR. Nein, RECHTS von mir. Vielmehr rechts von IHNEN!

Was?

Unsinn. Dieses »Was« ist doch gleichgültig. Ich ziehe Ihnen die Kapuze zurück.

Man sieht meinen ungenügenden Kragen.

Ich schaue nicht hin.

Das wird eine Ihrer Spötteleien.

Eine Diskussion über Ästhetik. Die ästhetische Empfindung ist jetzt auch der Spott. Ihre Differenz zum reinen Spott ist minim. Kriterielle Evidenz. Ästhetik ist Spott. Immer ist Ästhetik Spott. *Sinnend* Übers Faß gebeugt. Klamm vor Lachen.

Das Trieböl dient zum Einreiben meines nassen Körpers.

Dieser Körper hat nun schon viel hergegeben. Zeit, daß man ihm das Seine gibt. Geben Sie ihm das Seine.

Das Blut glutscht.

Spottendes Blut.

Müssen wir denn sterben?

Mehr Freundlichkeit miteinander.

Wir können nie mehr zusammen denken, wenn wir unzeitig sterben. Nie mehr miteinander denken.

Das stimmt mich optimistisch. *Pause* Schneiden Sie sich tief.

Wie tief?

So tief wie ich.

Zeigen Sie her.

So tief.

Ich sehe nichts. *Sinnend* Hofer hält eine Lampe auf Ihre Wunde. Ich sehe sie nicht klaffen. *Ärgerlich* Turn steht davor. Ich blicke auf Ihr Handgelenk und sehe doch nur einen Matrosen.

So tief müssen Sie schneiden. Freundselig hineinschneiden.

*Schneidet tief ins Handgelenk* Jetzt die Kapuze.

Die Kapuze!

Kapuze.

Sie müssen die Kapuze langsam nach vorn ziehen. *Pause* So. *Pause* Sehr langsam nach vorn ziehen, bis ich Ihr Gesicht nicht mehr sehe.

Sehen Sie mein Gesicht noch?

*Flüsternd* Nein.

*Ende*

# Nacht denken

*Spiel für zwei Figuren,
beziehungsweise acht Darsteller*

## *45 Thesen* zu Joseph Wolfgang und zu Maria Friederike

Er existiert.

Sie weiß, was er weiß, aber keiner weiß das, also weiß es keiner von beiden.

Er ist der Verneinung des Factums, er existiere, nicht abgeneigt.

Sie hat ein wundes Knie.

Er kriecht durch Heide und weiche Pflanzenmasse.

Sie ist im Heu gewesen.

Er traf im Heu eine Frau.

Sie hat mit dem Mann im Heu geschlafen.

Er erinnert sich an seinen Erguß.

Sie will ihn in der unweit gelegenen Stadt wiedersehen.

Er will sie auf dem Josephsplatz treffen.

Ihre Heide ist voll Schwarzbeeren.

An seinem Himmel wickelt sich ein Spiel von Licht (Sonne), Rauch (Wolken) und Bewegung (Wind) ab.

Sie weiß nicht, wieviel er weiß, insbesondere, ob er weiß, daß sie ihn nicht wiedersehen wird.

Er scheint die Frau für ein Zimmermädchen zu halten.

Sie ist geneigt, alles, was sie feststellt, als seit Jahrhunderten bestehend zu erachten.

Vor der Stadt, auf die er zukriecht, scheint eine Grube zu liegen.

In der Grube, die sie sieht, scheinen Leichen zu liegen.

Er vermutet, die Menschen in der Stadt seien an der Pest gestorben, aber er hofft, sie lebe noch.

Sie scheint in die Stadt gekommen zu sein, als da die Pest wütete.

Er ist wohl auch bereits an der Pest gestorben, hat aber die Fähigkeit des Sprechens bewahrt.

Sie existiert.

Sie ist der Verneinung des Factums ihrer Existenz zugeneigt.

Beide nehmen an, ein Wiedersehen werde in der Pestgrube vor der angestrebten Stadt stattfinden.

Beide wissen sicher, das wird beider Tod und beider Vereinigung sein.

Er denkt an Musik, wenn er an seinen Tod denkt.

Sie denkt, die Musik höre auf, wenn sie sterbe.

Aus seinem einen Bein ragt der Knochen.

Alles, was sie denkt, kann nur gedacht sein.

Für sein Unternehmen hat er den Ausdruck »Eulenspiegelei« allzu rasch zur Hand.

Sie widmet einen Teil ihrer restlichen Gedanken ganz gern dem, was im allgemeinen unter »Wetter« im weitesten Sinn steht.

Er weiß, daß er nie in der Stadt ankommen wird.

Im Gegensatz dazu steht sein Wissen, daß er sie wiedersehen wird – was auf Grund der Gewißheit, nie den Ort zu erreichen, wo sie sich befindet, nur ein Wunsch sein kann.

Auch sie möchte ihn wiedersehen, ohne ankommen zu müssen.

Er fühlt sich manchmal naß.

Sie fühlt sich manchmal naß.

Sie ist ihm aus dem Heu sehr rasch davongelaufen.

Seine Steppe überbordet von jenem Pflanzlichen, in dem er watet.

Seine Krücke ist teleskopisch.

Ihre Krücke ist eine Gabel, mit der schwere Äste gestützt werden.

Beider Pest wütet vermutlich immer.

Sie kriecht durch Heide und blaue Beerenmasse.

Sie erinnert sich an ein Knie, in das eine Nadel tiefer eingestochen wurde.

Vollständig heißt sie Maria Friederike Baucis.

Er demnach Joseph Wolfgang Philemon.

Was in diesem Schauspiel von der Rede noch übrig ist, wird aufgeteilt auf Joseph Wolfgangs und auf Maria Friederikes Körperteile.

Die beiden, je von vier Darstellern gebildeten Figuren sollen nicht kleiner als 4 Meter sein.

Die beiden Figuren befinden sich in der freien Natur, die sich über die Bühne erstreckt: mit allem, was daraus folgt.

In die Stadt . . . weit entfernt . . . was denn . . . als du das
gelesen hattest . . . ihre Größe . . . selbstverständlich . . .
eine Festung . . . nicht herein . . . nie hinein . . . gepreßte
Stimme . . . schnell schnell . . . einen Augenblick . . .
vergessen . . . einen Augenblick . . . vergessen . . . und
überhaupt . . . ganz aus Holz . . . nein . . . nicht
mehr . . . schlimmer . . . etwas Tönendes . . . nicht besser . . . an jeder Stelle . . . gehalten . . . im weiten Umkreis . . . plötzlich besser . . . ganz leicht . . . keine Stelle
mehr . . . abgeschoben . . . Wanderlust packt mich . . .
die Stelle verloren . . . die Sache geschmissen . . . gut . . .
gut . . . gut . . . eine Maulbeere im Mund . . . gut . . .
erhebend . . . geschwollene Wange . . . einfallende Sätti-
gung . . . ich allein die fünftausend Krämer . . . anders . . . ganz anders . . . krank war ich . . . manchmal
hatte ich Lust . . . aber jetzt vorwärts . . . meine fünf
Beine . . . im Alter werden es mehr sein . . . Zeit . . . auf
Null zurückgedreht . . . kein Tempo . . . dafür das
Ticken . . . fast kein Jawort . . . nicht viel Positives . . .
nun denn . . . in die Stadt . . . auf meiner Reise . . . nicht
gewarnt . . . fast kein Jawort . . . vorher nichts angezeigt . . . umgefallen . . . kein Tempo . . . woher kommt
der Raum . . . die Entfernungen vergrößert . . . sprung-
haft . . . kein Hinkommen . . . nun denn . . . in die
Stadt . . . wenn es sein muß . . . Null . . . die Zeit ange-
halten . . . Beine auf die Schulter genommen . . . alle fünf
Beine zum Rutenbündel geflochten . . . vorwärts . . .
manchmal . . . ich glaube, das muß sein . . . schwer
krank . . . ewige Spuckerei . . . mein Inhalt . . . bald
leer . . . aber unverzagt . . . gepfiffen . . . einziges
Loch . . . aus der Schwärze . . . der alte Eiter . . . steif

vor Lust . . . überall . . . ohne zu zögern . . . anders . . .
keinesfalls so . . . über den Boden . . . kein Maulwurf . . . gut . . . eine gute Maulbeere . . . gut . . .
gut . . . große und rasche Besserung . . . so in die
Stadt . . . geschmissen . . . alles selbst . . . nur ich . . .
was wäre wenn . . . die Stelle längst verloren . . . mich
ausstoßen lassen . . . plötzlich die treibende Wanderlust . . . besser . . . immer besser . . . so rasch jetzt . . . an
der Stelle vorbei . . . hingefallen . . . der Länge nach . . .
nicht besser . . . dafür tönend . . . verzerrte Klänge . . .
ihr Eindringen . . . durchs Loch . . . schlimmer . . . nicht
mehr . . . in die Stadt . . . warum nicht . . .

Wie . . . aus Holz . . . ganz aus Holz . . . überhaupt . . .
vergessen . . . Augenblick verweile . . . schnell
schnell . . . hüste hott . . . gepreßte Laute . . . Kunststück . . . fest . . . allzu fest . . . undurchdringlich . . .
hingefallen . . . Aufprall . . . verletzt . . . also denn . . . in
die Stadt . . . als du das gelesen hattest . . . ihre
Größe . . . Million . . . Viertelmillion . . . mit Vororten . . . was denn bloß . . . jetzt nicht vergessen . . . nur
nicht vergessen . . . in die Stadt . . . auf sie zu . . . rollend
dahin . . .

Undurchdringlich ... hingefallen ... kriechend ...
Krückenverseuchung ... Schnelligkeitslicht um eine
Schwärzesonne ... Geschwindigkeitswolken im Alters-
wind ... der fährt von Norden ... rollend dahin ... seit
Jahrhunderten ... der alte Eiertanz ... die Stadt zer-
stört ... zerbrochen ... zerschmettert ... zer-
stückelt ... zerhackt ... zerstampft ... verstädtert ...
zermalmt ... seit drei Tagen ... unterwegs ... seit zwei
Tagen ... seit zwei Tagen und noch einem Tag ...
keine Schwünge, wenn ich aufsetze ... weg von dir, du
Ungeheuer, sagt sie ... ich setze ihr nach ... seit Jahrhunderten ... der alte Eiter ... steif vor Lust ... tief im
Moor ... auf die Stadt zu ... die Stadt ... Maulbeeren
um ihre Grube ... gelb in ihrer Dunstglocke ... Atmen
schmerzt ... Folter ... Spritze ... Nadel ... auf mich
zu ... Folter im Geist und in der Kniescheibe ... Stich
hinein und husch ... Naturen, ihr Huren ... im
Schlaf ... wie im Schlaf ... steif vor Lust ... gleich
leer ... im Heu ... seit Jahrhunderten ... Natur-
licht ... Augenwind in die Umkehrsonne hinein, umge-
stülpt, was geschieht mit den Rändern, o ... Nadel ...
Kanüle ... Kopf auf dem Fensterbrett ... abgeschla-
gen, endlich ... Eulenspiegeleien eines Individuums,
das ... ermüdet ... anders ... im Kreis ... hörst du
mich, Zimmermagd, meine ... Augenblick verweile ... leer ... Beeren warm vor Sonne ... meine
beiden Beeren an der Sonne bräunen lassen ... im läng-
lichen Kreis ... Kompräsenz des quadratischen Kreises ... existiert nicht, aber subsistiert ... elliptisch ...
genug ...

Diese Zimmermädchen . . . vor mir geflohen zu mir . . .
weg von mir, um besser und rascher zu mir . . . o zu
mir . . . verschüttete Umstände . . . ich Verschütte-
ter . . . wer gräbt nach mir . . . Pestkrankem . . . zwei
Worte . . . nämlich . . . »Tasche voll« . . . Schwüle in der
Grube . . . Leichenschwüle . . . Schritte in die Erde hinein . . . bohrender Schritt . . . Schuhspitze . . . Spitze . . .
ins Knie . . . scharf ins Knie . . . mein Geheul . . . die
Folter . . . kein Gefährte . . . vielleicht dereinst einmal
mit mir . . . mal . . . heraus . . . ich . . . in die Aufgerissenheit . . . verschüttetes Waten . . . ausgeleerte Faustschläge . . . Eimer . . . Loch durch Schlag in die graue
Wolke . . . Dunkelstriemen . . . vor der Sonne . . . Festland ohne Grund . . . Logik der ausgehobenen
Grube . . . mal . . . heraus . . . zwei Worte . . . »Tasche
voll« . . . diese Zimmermädchen . . . seit Jahrhunderten
derselbe alte . . . meistens in Fahrt, in Fahrt gekommen,
o . . . Gebläse watet . . . Zug ist eine Sache . . . jeder
Faustschlag ein Schiffbruch meiner Langmut, unendli-
che Langmut, o . . . meine Schwüle ins Feuer . . . er
auch . . . wir auch . . . sie auch . . . dieses Mädchen . . .
Heu und ich . . . Tasche voll Schwüle . . . nein . . . aufm
Grund der Grubn is all Meer . . . unbezeichnetes Tau-
chen . . . hier ist die Logik . . . mein Gang . . . ohne
Knie . . . auf ihre Stadt zu . . . in der Grube . . . Zimmermädchen seit einem Jahrhundert als pestkranke Leiche . . . grauenhaftes Waten . . . ekelerregender
Schritt . . . schwüles Pissen versäumt nach dem Schiffbruch . . . kein Nein . . . kein Sprecher . . . noch nicht
einmal ich . . . noch längst nicht ein Klopfen . . . mal auf
Grund . . .

Steif vor Lust . . . riesige Nässen . . . seit Jahrhunderten . . . diese Zimmermädchen . . . wo ich die Nacht
verbrachte, war die Herberg' hell . . . Augenblick verweile . . . aus Holz . . . wie aus Holz . . . er . . . der vor
mir . . . der alte Eiter . . . Pest über sie . . . in die Grube
mit uns . . . auf die Stadt zu mit uns . . . Krücken win-
ken . . . maulbeergetöntes Licht an den Wänden . . .
munteres Sprinkeln . . . buntes Irrlichtern einer Spiege-
lung von Wasser . . . Wasser, der alte Eiter . . . seit Jahrhunderten . . . sie in der Grube . . . pesttot in meinen
Armen . . . was . . . meine Arme . . . amputiert, wieder
angenäht, amputiert, wieder angenäht . . . seit Jahrhunderten . . . schwer krank . . . ewige Spuckerei . . .

Alle fünf Beine zum Rutenbündel geflochten . . . Ruten-
bündelangst vor dem Gepeitschtwerden ins letzte Pest-
ende hinein . . . ebensogut wie . . . aus Holz . . . Wände
aus Holz . . . ihre Größe . . . Viertelmillion . . . in einer
Reihe . . . Pestreihe aus frischen Särgen . . . jedem Sarg
seine Musik . . . einebnen den Friedhof . . . versenken in
die Pestgrube . . . ob sie mitversprüht wird . . . in der
Wolkenpest . . . Beutel voll Blasen schwirren aus zer-
platzen . . . über der Stadt sich zusammenbrauend . . .
darauf zu . . . vielleicht ich mit drin . . . dann doch . . .
dann doch endlich . . . die vom Invaliden in Form behal-
tene Krücke . . . wie vor Jahrhunderten . . . warum
sollte mein Wandern keinen Ort erzeugen . . . und keine
Wolkenschößlinge um den Sonnenbrand . . . Monde auf
Stielen . . . Aborte überlaufend . . . mit Leichen ver-
stopft . . . Rutenbündel wischen . . . atmen . . . atmen . . . oben, ja . . .

Windausgang . . . großer Windausgang fegt über die
Pestgrube vor der Stadt, wohin ich mich . . . wen . . .
mich . . . Fragen quellen munter . . . verknappt alles . . .
eingebüßt das Meiste . . . aber noch darf ich es nicht
wissen, daß es . . . nicht wissen, daß sie . . . seit Jahrhunderten . . . als ich spritzte im Heu . . . Heuverknap-
pungswolke . . . Lichteinbußenbildung in der Pestgrube
liegend vor der Stadt . . . auf sie zu . . . munter voran
sich fragend, und . . . o . . . o du . . . ja du . . . Eulenspiegelei . . . Blaubeerengeistwolkenwind . . . Schafspfad
um die Turmrose meines Affenhirns . . . verkommen
und verkommen . . . ausgegangen . . . weg . . . auf dem
Weg . . . Stelle . . . Stelle des . . . verloren . . . Ansatz,
jeden, verloren . . . weggegangen . . . auf dem
Krückenlied . . . die Endmusik . . . die letzten Klänge
einer zähnefletschenden Viola . . . vor der Stadt, da
summt der Bänkelsang . . . Reihe von Lebendigen im
letzten Stadium . . . von Haus aus kräftig . . . können
aufgeboten werden zur großen Schlacht . . . uninteres-
sante Quixoterie . . . die kniende Windmühle mahlt im
Rückwärtsgang das Heu des Wolkenneumondes . . . in
der Pestgrube . . . die sie ausheben half mit ihrer Kran-
kenhaube . . . Todeskrankheit zum Ausheben der eige-
nen Pestgrube mißbraucht . . . Krückeneinbildungen,
sie kommen an Krücken, sie gehen an Krücken . . .
Krückenpreis . . . unerschwinglich . . . aber wer will
denn noch . . . wie ich . . . wer . . . wie ich . . . auf die
Stadt zu . . . im Schlaf die Luftglocke atmend . . . Wol-
kenkraft des Fremden . . . nicht schon wieder jetzt . . .
nicht schon wieder morgen . . . nicht schon wieder auf
immer . . . nicht mehr immer auf ewig bejahend was ist

und was geworden ist und unverschämt alles was je
gewesen sein wird . . .

Diese Welt . . . das Ganze und überhaupt . . . und mein
Knie . . . Wolkenvollmond . . . Lichtwirklichkeit . . .
Wolkenentkommen . . . Lichtmond . . . Wolken-
rund . . . Lichtfinsternis um die Tonsur des Turmerbau-
ers . . . Wirklichkeitsverlust . . . wegen Hinken . . .
keuchst, o Mond . . . einatmend Mund . . . essend
Mund . . . hörend die Musik . . . Todeswolke . . . End-
licht . . . auf der Stadtmauer . . . vor der Stadtmauer . . .
die Aushebung . . . die Gruben . . . der löschende
Kalk . . . Kniepilz weggestochen . . . Wolken-
krücken . . . Lichtneumond . . . meine verdammten
Krücken . . . tragen mich auf die Pestgrube zu . . . Bein-
pest . . . Pesthaus . . . alle verfault . . . alle erkrankt . . .
alle geschwächt . . . alle aussichtsberaubt . . . nicht mehr
viel vor ihnen . . . sie unter ihnen . . . in der Stadt . . . auf
sie zu, die sich entzog . . . diese Zimmermädchen . . . seit
Jahrhunderten so . . . Vollmond . . . gibt es das . . .
Wolkengeist . . .

Meine verfluchten Krücken . . . klingeln . . . Krückenmusik . . . in die Grube . . . seit Tagen so gut wie seit
Jahrhunderten . . . mehr Bevölkerung ermüdet weniger . . . auch bei Vollmond . . . mein Kopf . . . neben
mir . . . Anschluß an mich suchen . . . zu mir herüber-
blicken . . . sag das nicht . . . einmal gelesen, immer vergessen . . . das Ding, groß vor mir . . . mir in die
Zähne . . . Zähne klappen . . . mein Mund frei . . . groß
vor mir . . . welcher Mund . . . davor . . . wiederholen . . . nun doch nichts mehr diesbezügliches . . . nicht
mehr diesbezügliches, außer . . . vergessen . . . seit meiner Abreise . . . aus dem Dorf, das uns zu Schorf . . .
Schafe . . . Weg . . . Wolle . . . niedriger Flug des sata-
nisch geschundenen Geistes . . . Kanüle mit Säft-
chen . . . auf mein Knie . . . »Tasche voll«, sage ich . . .
sagte ich ihr . . . »Tasche voll, ins Heu mit uns« . . .
weiße Schürze . . . NICHT, sage ich . . . Bein in den
Busch . . . in ihren Busch . . . wo ich trete, wandere ich
auch . . . auf ihr herum . . . in ihren Körper . . . rasch . . .
befohlener Liegeort . . . ohne ihr Einverständnis . . . ge-
braucht als Ding . . . vor mir . . . vergessen . . . welches
Ding . . . in ihren Busch . . . mein Mund frei . . .
Schürze . . . auf mich zu . . . Rebenpfade . . . verstümmelt in der Rückkehrsfurcht . . . Wind abnehmend . . .
Sonnenstriemen morgens verschwindend . . . verweht . . . Wind stärker . . . Wind schwächer . . . meine
Stirn . . . Gelall . . . diese Zimmermädchen . . . Sesen-
heim . . . seit Jahrhunderten . . . ins Knie . . . Folter . . .
auf mich zu . . . Zähne geklappt und sein Schlaf . . . zieht
mir den Anzug aus . . . im Heu . . . folge mir, sagt sie . . .
kann nicht, meine Knie, antworte ich . . . Heu in der

Nähe . . . ungebunden . . . tollend . . . Eulenspiegeleien
eines Mannes, der . . . zuviel vornehmen . . . kahler
Schädel, bräunlich . . . allein schon . . . Wolkenjagd im
Weinberg . . . durch den ich . . . ihn bekriechend . . .
Haus . . . gibt es das . . . krank . . . Lust . . . ja, manchmal . . . erheben mich, schaue mir zu . . . Kapellmeister
auf dem Josephsplatz . . . in Pilzen . . . und in Maulbeeren . . . alles eßbar . . . auf meinen Mund zu . . . Fauligkeit des Fleisches . . . diese Fragezeichen . . . emsig . . .
so geschrumpft . . . o Schrumpfung . . . meistens in
Fahrt, in Fahrt gekommen . . . rollend dahin . . . unend-
liche Langmut, o . . . ihr Zimmermädchen . . . auf mich
zu . . . jetzt nicht mehr . . .

Diese Zimmermädchen... locken mich auf eine
Flucht... aber in Wahrheit... in die Grube... kaum
wanderst du, ist da ein Moor, in dem du wanderst...
warum sollte das Wandern keinen Ort erzeugen, wie es
Füße erzeugt, wie es Boden erzeugt, wie es einen Grund
erzeugt, wie es einen Wanderer erzeugt... die gestützte
Krücke... unternimm etwas, und es unternimmt
sich... laß sie fliehen aus dem Heu... ergieße dich
sparsam und später... flachtreten den Busch... hinke
ich energisch auf... ein Bein in den Busch... hängen-
bleiben am Blatt, das er mir... beiseiteschieben die
Zweige und auskramen die Wolke... Lichtentzug...
Lichtmangel... Lichtraub... Eindunkeln...

Vergessen . . . was denn bloß . . . mit Vororten . . . die
Pestseuchen . . . in Wolken . . . was denn nur . . . Viertelmillion . . . Million . . . gedrängt auf dem Josephsplatz . . . ihre Größe . . . als du das gelesen hattest . . . in
meiner Nähe . . . die Stadt . . . gelb unter der Dunstglocke . . . atmen . . . atmen . . . eine Reise wert . . .
meine Reise wert . . . Aborte überlaufen . . . Fürze . . .
Sperlinge . . . hacken auf meinen Kopf . . . Zimmermädchen . . . stechen in mein Knie . . . Pesttote häufen
sich . . . Gassen verkeilt mit Leichen . . . seit Jahrhunderten . . .

Krücken . . . klingend . . . meine Krücken . . . an der
Stelle . . . Eindruck . . . wo . . . im Torf . . . wie . . .
tief . . . warum einer darüber . . . was . . . gegangen zum
Zwecke des Erreichens der Stadt . . . verstümmelt . . . o
ja . . . gewiß . . . verstümmelt . . . Krücken . . . klingend . . . Musik meiner Krücken . . . erreicht die Musik . . . Kapellen . . . Kapellenmusik wird durch meine
Krückenmusik beeinträchtigt . . . Josephsplatz . . . Kapelle auf dem Josephsplatz . . . uninteressant . . . sag das
nicht . . . in Pilzen . . . und in Maulbeeren . . . helle
Maulbeeren . . . Beeren warm vor Sonne . . . in der
Sonne ein schwerer grüner Ekel . . . meine verdammten
Krücken . . . Schwünge . . . erheben mich, schaue mir
zu, kann nichts sehen, erheben mich . . . Pilze . . .
Schwünge in den Pilzen . . . vor der Stadt . . . zum Josephsplatz . . . Kapelle mit Krückenmusik . . . klingend . . . Pilzauswüchse auf den Maulbeeren . . . Pilze
wieder wie Maulbeeren . . . auf Maulbeeren maulbeerartige giftige Auswüchse . . . ermüdet . . . anders . . . im
Kreis . . . besser in länglichem Kreis gefangen . . . anders . . . im Kreis elliptisch . . . genug . . . mir schon . . .
danke . . . mir schon . . . erreicht die Musik . . . anders . . . krank . . . Lust . . . ja manchmal . . .

So viel . . . und nicht mehr . . . seit dem Morgen, an dem . . . vergessen . . . die Weite . . . das Waten . . . das Mohnfeld und die schwarzen . . . Staubblätter . . . Bestäubung . . . seit Jahrhunderten so . . . Abenteuer . . . unvergeßlich . . . wer mit ihr schläft . . . im Heu . . . seit Jahrhunderten . . . diese Zimmermädchen . . . Nadel . . . sie mit der Nadel . . . alle mit Nadeln . . . auf meinen Kopf neben mir zu . . . diese Sperlinge . . . Fürze . . . Mohnfeldlichtungen hackend in den Rausch . . . kleiner Weg zur Stadt . . . Grundlage . . . ich als Fremder . . . Intelligenzler . . . daß ich nicht . . . lache . . . Mama . . . darüber hinaus Mama, o . . . gesammelt . . . wie ein anderer . . . im Käsekraut . . . auf den Mund zu . . . die ganze Scheiße . . . immer durch . . . den Mund . . . die Scheiße . . . die Fürze . . . faulgrün . . . Eiter durch den Mund . . . Waten im Mund . . . Scheiße im Mund . . . seit Jahrhunderten . . . und jenseits davon . . . kaum . . .

Pickpick am Kopf . . . neben mir mein Kopf . . . Sperlinge . . . in Schwärmen . . . pickpick . . . gewalzte Sperlinge . . . gesunde Kniescheiben . . . Sperlingsknieschei-
ben . . . hackend auf mir . . . kleiner Weg zur Stadt . . .
diese Zimmermädchen, ihre Sonnen und Maulbee-
ren . . . das Abenteuer . . . unvergeßlich . . . im Heu . . .
Verfassung wie ein Vollmond . . . eingezwängt in
Zeit . . . verstrichen in der Zeit . . . auf die Mauer zu . . .
meine menschliche Mauer . . . auf sie zu . . . näherkom-
men der Mauer . . . meine menschliche Mauer . . . un-
menschlich ihr Bestehen . . . Härteanbruch mit Stern-
wolken . . . flüssige Mauer . . . die Grundlage meines
Ganges zu ihr . . . steif vor Lust . . . Mohnfeldschneisen
ziehend . . . nackt . . . von Haus aus . . . im Heu . . . Lie-
gevorschrift und Erguß . . . entblößt . . . im Umkreis . . . keiner . . . nicht einmal ich . . . schlafe mit
ihr . . . dieses Zimmermädchen . . . seit Jahrhunderten
so . . . aber ich weiß nicht, wer mit ihr schläft . . . und
davon . . . auf, und ihr nach . . . nach der Folter . . .
Kniescheibe . . . Nadel . . . sie mit der Nadel . . . im
Heu . . . unmittelbar danach . . . meine Flucht vor
ihr . . . ihre Flucht vor mir . . . nach der Folter . . . von
Haus aus . . . zwei Tage . . . Abenteuer . . . vergeß-
lich . . . vorentschieden alles mit der Kniescheibe . . . die
Maulbeere am Bein . . . Wamme des Krammetvo-
gels . . . Mama, sage ich . . . vergessen . . . nicht mehr
zum Vorschein gekommen . . . die Suche . . . im
Heu . . . die Stecknadel . . . auf mein Knie zu . . . Stich in
die Kniescheibe . . . mein Gebrüll . . . auf die Stadt
zu . . . sehe mich . . . in der Grube . . . stinkend neben
ihr . . . und jenseits davon niemals etwas mehr . . . im

Anfang erst noch nichts . . . darüber hinaus unglückli-
cherweise auch wieder nichts . . .

Faustschläge ... Zähne klappen ... platt der Körper ... gewalzt ... niedergewalzt ... unter schwere
Hufe gekommen ... gesunde Kniescheiben ... auf diesem Körper herumtretend ... bis er watet ... er watet,
und schon die Kniescheiben auf ihn ... Nadeln an den
Sohlen der Kniescheiben ... heiliger Antonius ... alles
auf meinem schweren Gang ... Canossa büßt ... Sackleinen trage ich ... Sackleinen trug sie ... dieses Zimmermädchen ... das ich traf im Dorf ... das vor mir
flüchtete, aber in Wahrheit auf mich zu ... in die
Stadt ... Pestgräben ... stinkend ... platt der Körper ... auf meinen Mund zu ... die Faust ... Zähne
eingeklappt ... geplatzt ... wie das Prinzip, das mich
regelt ... was regelt ... mich regelt ... mich was ...
mich regelt ... wie regelt ... Maulbeersteuerung ...
Morgenanbruch mit Lichtwolken ... Rebenpfade ...
Schafe unter den Wolken ... Friedlichkeit bis zum Ein-
bruch der ... auf den Mund zu ... dicke Sperlinge ...
Fürze ... in Schwärmen ...

Mit Kraft . . . vor der Stadt . . . mein Gang . . . weiter
von mir selbst hinweg . . . Kraft . . . in die Stadt . . .
Sonne . . . in Fetzen . . . Fetzen davor . . . Größe . . .
Waldes . . . uneinschätzbar . . . Beine fest . . . Größe der
Reihe . . . alles in Reihen . . . Bäume . . . gehackte
Bäume . . . verbranntes Holz . . . Lohe . . . rauchend . . .
äschernd . . . vor der Stadt die Gruben . . . Torf und . . .
Torf und . . . Größe der Reihen . . . Starre der Reihen . . . Faulenzer . . . immerwährende faulerwer-
dende . . . mit Gestank . . . hin zu mir . . . von zuhause
weg . . . tönend . . . Maulbeeren an den Beinen . . .
schwarzrote . . . ins Knie . . . Injektion ins Knie . . . näher mein Knie zu dir . . . Nadel . . . mit der weißen
Schürze . . . unter ihr hervor die Folter . . . tödlich . . .
leichenschaffend . . . vor der Stadt die Gruben . . .
faul . . . stinkend . . . pathogen . . . Fetzen davor . . .
Fauligkeit des Fleisches . . . tödlich . . . Leichenbeschau . . . vor der Stadt . . . Torf darüber . . . Beine
weg . . . schnell . . . sich ducken, mich ducken . . .
Größe . . . Waldes . . . abschätzbar . . . in Fetzen . . .
Sonnentreibjagd . . . Scheibchen über Horizont . . . un-
gehört . . . sag das nicht . . . nie gehört . . . bitte
nicht . . . Leichenberge . . . meine dazu . . . mit
Kraft . . . Holz . . . nicht mehr . . . sag mir alles . . .
bitte . . . vergessen . . . im Augenblick überhaupt . . .
und . . . nichts mehr . . . keine Ankunft . . . bitte . . .
nichts mehr sagen . . .

Umgefallen und flüssig . . . klein und wann ermüdet . . .
seit dem Dorf . . . wälzend, aber niemals mich . . . Kriechen ist eine Verfassung, das diese Verfassung mit Einfluß . . . unter Einfluß . . . welchem . . . gelockt . . .
durch sie . . . mit meinem Knie . . . auf die Stadt zu . . .
Rotnesseln durch . . . Drängen in zwei Minuten . . . Eilgut gerät auf eine Lichtung . . . Geschlechtsteil geschluckt . . . wissen . . . daß erinnert . . . flüssig wälzend . . . aber . . . der Humpen . . . an den Mund damit . . . körperliches Dorf . . . ist meine Verfassung . . .
kleinerer Körper . . . als auch schon . . . auch schon . . .
schon lange . . . seit mehreren Jahrhunderten zweier
Tage . . . hör dich . . . nicht mehr wo . . . außerhalb . . .
auf sie zu . . . Josephsplatz . . . stinkend . . . Moor . . .
Leichenteil . . . verschluckt vom Moor . . . in die
Grube . . . gute Manier . . . auf einmal . . . in die Aufgerissenheit . . . Schlucken . . .

Ordnung . . . im Dunklen . . . Sonne abgeschossen . . .
weggespritzt die Sonne . . . im Dorf Sonne . . . in der
Stadt das Dunkel . . . so soll es . . . so soll es . . . gewesen . . . sein . . . Verfassung ist ein Mohnfeld . . . welche . . . wußtest du . . . hörtest du . . . zu Ohren gekommen, daß ich . . . Anschluß an mich selbst . . . den Fremden . . . mit seinem Knie . . . das Knie körperlich empfinden . . . Stillstand hinter seiner Lenkstange . . . an der
Hupe baumelt der volle Humpen . . . Minute bis Ge-
dränge . . . auf dem Josephsplatz . . . sie treffend . . . seit
Jahrhunderten so . . . südlich nördlich . . . diese Zimmermädchen . . . mit ihren Maulbeeren und Rotnesseln . . . merklich . . . nicht mehr wo . . . hör dich . . .
wie . . . du sagst . . .

Wille zur Besserung, da auch Ordnung . . . durch die
Maulbeeren hindurch . . . Maulbeerengeschwür . . .
wolkig . . . Naßstreifen auf den Rebenpfaden . . . Dorf
körperlich empfunden . . . und geistig . . . mein
Geist . . . welcher . . . der eine . . . der eine Geist, glänzend . . . er sieht Schwäche, wo Schwäche ist . . . einen
Finger am Willen haben und abdrücken . . .

Nicht mehr wo . . . drängen . . . zwei Minuten . . . eine
Minute . . . Ende . . . auf dem Josephsplatz . . . gute Manier . . . immer noch Besserung . . . gelobt . . . gelobt im
Land . . . auf sie zu . . . sie auf mich zu . . . erträumter
Zustand . . . wolkenschwer über dem Dunkel . . . Naßstreifen über der Sonne . . . trocknen weg . . . Horizont
erhöht, nichts mehr kriecht über den Horizont . . . mich
erkennen . . . als einer, der jemand ist . . . verloren . . .
mein Eilgut ist verloren . . . Verfassung ist Schwäche . . . Schwappen im Moor der Lenkstange . . . wei-
cher Humpen schäumt in mein Zelt . . . alles verloren . . . mein Gesicht . . . Verlust . . .

Kein Nein . . . kein Sprecher . . . wann ermüdet . . . vom
Dorf aus . . . das Dorf macht müde . . . aber die Müden . . . Zusammenschluß zum Dorf . . . klein . . . wälzend, niemals sich . . . wälzend, unter anderem sich, vor
Ermüdung . . . flüssig . . . umgefallen . . . mein Knie . . .
das Zimmermädchen und mein Knie . . . erinnert, wie
ich umgefallen . . . hingegen . . . es aufrecht, Fäustchen
in Achselhöhlen . . . wie . . . wissen . . . hör dir zu . . .
wie . . . merklich . . .

Verlust... gesichtslos jetzt... weit entfernt...
seit... urdenklich... will sagen drei Tage... unterwegs... ihr Zimmermädchen... eure Gesamtheit...
auf der Flucht... vor dem, dessen Gesicht... weg, das
Gesicht... weg, das Mädchen... aus meinem Dorf...
wann ermüdet... diese Fragezeichen... gesichtslos... Kraniche im Mohnfeld... nein...

Diese Verfassung ... wäre lächerlich ... wenn ich in besserer Verfassung wäre, fände ich meine Verfassung lächerlich ... so geschrumpft ... o Schrumpfung ... in die Aufgerissenheit ... meistens im Saft ... Klotz und steif und Steifheit des Klotzes am Bein ... und Wade ... weiter unten ... Wade ... diese Fragezeichen ... eine Wade in der Grube, pestkranke Wade ... watet auf dem Festland ... schwüles Salz des Moores ... ausgeleert ... Klotz ... verschüttet ... unbezeichnete Schritte ... Faustschläge in die Reminiszenzen an die Logik ... Fahrt zur Insel ... nackt ... rosig ... mit Wämmchen ... o Wämmchen ... ihr Zimmermädchen ... in die Grube ... überhaupt ... bis gar nicht ... ausgeleerter Klotz ... schwüle Erde ... Faustschläge in die Wellen ... kein Nein ... Feuer auf meiner alten Erde ... wie gehabt ... nicht einmal ein Fragezeichen ... fick ... so ...

Musik . . . mich umhüllend . . . wie Schenkel . . . im
Heu . . . riesige Nässe . . . steif vor Lust . . . kaninchen-
geschwind . . . krank . . . steif . . . ja manchmal . . . meist
krank . . . aber manchmal steif . . . krank, so steif . . .
was . . . nein . . . vor Krankheit steif . . . nicht vor Lust
steif . . . Beeren braun . . . zurückziehen . . . aus dem
Heu zurück . . . in die Pestgrube . . . wieviel Leichen . . .
doch meine . . . doch ihre . . . pestkrank beide . . . schon
in der Stadt, noch ehe wir den Weg zurückgelegt . . .
sicher erzeugt Wandern einen Ort, weshalb sollte es
keinen Weg . . . erzeugen . . . sie flieht . . . ich ihr nach
ins Licht hinein . . . voll ins Licht . . . die Augen wegge-
brannt . . . Folter im Knie . . . alles durch sie . . . diese
Zimmermädchen . . . seit Jahrhunderten . . . steif vor
Lust . . . mit Kraft . . . vor der Stadt . . . mein Gang . . .
weiter von mir selbst hinweg . . . und nichts mehr . . .
keine Ankunft . . . niemals sie wiedersehen, die . . .
faul . . . stinkend . . . seit Jahrhunderten . . . Blaubee-
renkrebs . . . Pilzkrönchen im Heißwind gewirbelt . . .

Voran . . . das Waten hinter mir . . . die Stadt vor
mir . . . ihre Gruben . . . alle gefüllt . . . Moore . . . in die
Aufgerissenheit        füllen . . .        Himmelbildung . . .
Schritte . . . aufs Festland zu . . . diese Zimmermädchen . . . flüssig . . . die Sache . . . mein Mal . . . daß ich
nicht mehr . . . am Knie . . . Nadel . . . Folter . . . Zwei
Worte . . . Grube . . . voll . . . voll zu tun . . . pestkrank
in der Stadt, Pestkranke . . . kein Gefährte . . . allein . . .
noch nicht einmal mit mir . . . vielleicht dereinst einmal . . . o dereinst . . . meistens . . . watend . . .
Schritte . . . im trockenen Laub . . . Sache . . . überhaupt . . . meine Sache . . . bis gar nicht . . . Faustschläge . . . Wellen . . . aufgewühlter Sand . . . Wolken-
meer feucht . . . Spucke . . . nein . . . ausgewachsene
Spucke . . . riesenhaft . . . quellend aus Wunde . . . wie
Eiter, und dann . . . verschüttete Schritte . . . die meinen . . . auf die Stadt zu . . . zu ihrer Leiche, selbst schon
Leiche . . .

Verlust . . . mein Gesicht . . . alles verloren . . . wie mich
erkennen als jemand, der einer ist . . . Verlust . . . gesichtslos jetzt . . . weit entfernt . . . seit . . . urdenklich . . . will sagen drei Tage . . . unterwegs . . . ihr Zimmermädchen . . . eure Gesamtheit . . . auf der Flucht . . .
vor dem, dessen Gesicht . . . weg, das Gesicht . . . weg,
das Mädchen . . . aus meinem Dorf . . . wann ermüdet . . . diese Fragezeichen . . . gesichtslos . . . Kraniche
im Mohnfeld . . . nein . . . kein Nein . . . kein Sprecher . . . wann ermüdet . . . vom Dorf aus . . . das Dorf
macht müde . . . aber die Müden . . . Zusammenschluß
zum Dorf . . . klein . . . wälzend, niemals sich . . . wälzend, unter anderem sich, vor Ermüdung . . . flüssig . . .
umgefallen . . . mein Knie . . . das Zimmermädchen und
mein Knie . . . erinnert, wie ich umgefallen . . . hingegen . . . es aufrecht, Fäustchen in Achselhöhlen . . .
wie . . . wissen . . . hör dir zu . . . wie . . . merklich . . .
nicht mehr wo . . . drängen . . . zwei Minuten . . . eine
Minute . . . Ende . . . auf dem Josephsplatz . . . gute Manier . . . immer noch Besserung . . . gelobt . . . gelobt im
Land . . . auf sie zu . . . sie auf mich zu . . . erträumter
Zustand . . . wolkenschwer über dem Dunkel . . . Naßstreifen über der Sonne . . . trocknen weg . . . Horizont
erhöht, nichts mehr kriecht über den Horizont . . . mich
erkennen . . . als einer, der jemand ist . . . verloren . . .
mein Eilgut ist verloren . . . Verfassung ist Schwäche . . . Schwappen im Moor der Lenkstange . . . wei-
cher Humpen schäumt in mein Zelt . . . alles verloren . . . mein Gesicht . . . Verlust . . .

Arme beide Hände alle nämlich null . . . unverwendet
unverwandt . . . alle Hände leer zu tun haben . . . eitrige
Rückkehr . . . sabbernd . . . gelblich das Tuch der Per-
spektiven anfeuchtend . . . geschlossen. Durchs Tor! . . .
Husar . . . Ritt durch die Puszta . . . schlugst . . . gegen . . . herumrollend . . . wälztest . . . über mich hinweg . . . an mir jetzt . . . nicht mehr . . . doch schon nicht
mehr . . . bis zum Knie herunterhängend . . . nadelfein
verlängert . . . er, der gehärtete . . . Wachtposten ver-
ängstigter . . . Ertrinken auf mich hinauf . . . zuerst ertrinken, dann auf mich hinauf und der Tag bricht an . . .
der Tag bricht an, dann ertrinken und auf mich hinauf . . . ertrinken, ist gleich Tagesanbruch und dann von
mir herunter . . . Erfahrung wie gehabt . . . Nadel im
Knie . . . sie . . . in der Stadt vor mir . . .

Mein Knie . . . in Fetzen heruntergehangen . . . aufbeu-
gen . . . über die Schultern mit dem dahingegangenen
Bein . . . Herumrollen, das . . . Erregung . . . ohne falsche Scham . . . mit einiger Lust . . . Maulbeere wird
dicker und dicker, bis Wolke sie zudeckt . . . Wolken-
watte durch den maschinellen Windzauser gelassen . . .
keine Zurückhaltung . . . das Heu . . . bebraten . . . eif-
rig . . . Fleisch im Fleisch . . . fast im Schlaf . . . danach
der Schlaf . . . zuvor der Schlaf . . . aus dem Schlaf hinaus in die physische Vereinbarung . . . husche-husch
hasch mich, in bin der . . . Fremder . . . Hakenkreuz-
ler . . . wo glatt . . . Wellen alter Erfahrungen . . . abgelutscht auf den Knochen . . . Tag . . . Nacht . . . Mit-
tag . . . Brotzeit . . . Nachmittag . . . Vesper . . . diese
Zimmermädchen . . . ohne falsche Scham! durchs
Tor! . . . stürmisch . . . Haken . . . der Haken beim Ertrinken im fremden Fleisch ist, daß man, schon daran
aufgehängt, keinen Schmerz empfindet . . . aber es
schon . . . das fremde . . . das Fleisch . . . o . . . es empfindet den Schmerz, den es mir vorenthält . . . mit dem
ich schlief . . . Hände . . . alle . . . voll . . . zu tun . . .
Fleisch in Schwüngen unter entstelltem Vollmond ge-
zaust . . . auf mich zu . . . Zurückhaltung . . . nicht ange-
bracht . . . dann entschwunden . . . dieses Zimmermädchen . . . abgehauen . . . seit Jahrhunderten dasselbe . . .
in die Stadt . . . geflohen vor mir, der ich lieber auf dem
Land . . . o . . . selbst . . . zwischen zwei Händen . . . Erregung . . . auf mich zu . . . maschineller Windzauser . . .
Hauptsache, sie krallte sich in meine Wamme . . . Köpfchen . . . ihr Köpfchen . . . mein Kopf . . . Maulbeer-
größe . . . schrumpfend und schrumpfend . . . durchs

Tor! . . . dieser Fremde! . . . nicht ratsame Zurückhaltung . . . sich hinwerfen und begraben nicht sich . . .

Und die Schatten ... sich verlängern, den Schatten
nach ... Erfahrung ... die alte Masche der Erfahrung ... alte bestätigt ... neue vorenthalten ... meine
Welt ... der ich entrinne, gehend ... so gut wie ...
Wellen der Glätte ... spülend über mich herein ... aus-
gewaschen mit Sand ... innerlich ... Rückkehr ...
Reise von da weg oder Rückkehr nach da zurück, das ist
die Frage ... diese Fragezeichen ... Grundlagen der
angestrebten Stadt ... Jahrhundert ... zwei Jahrhun-
derte ... drei ... Schwünge unterm behangenen Vollmond ... Finsternistrauben auf der Verwundung aus-
gepreßt ... stürmisch ... so stürmisch ... der
Fremde ... ohne falsche Scham! ein Fremder! ... und
ließ sich rückwärts ins Heu ... diese Zimmermädchen ... ja, diese Mädchenanmaßungen, mir zu befehlen
den Stand- oder Stehort ... viel ... diese Fragezeichen ... emsig ... Tische ... abgelutscht ... im
Schlaf ... null ... Tuch ... Riß ... dadurch hindurch ... Körperriß-Körperfetzen ...

Gute Manie . . . auf einmal . . . Besserung . . . seit dem
Dorf . . . auf die Stadt zu . . . durch die Maulbeeren
hindurch . . . Gruben . . . stinkend . . . eitrig . . . sprit-
zende Manier . . . wo ein Wille zur Besserung, da auch
Ordnung . . . durch die Maulbeeren hindurch . . . Maulbeerengeschwür . . . wolkig . . . Naßstreifen auf den Re-
benpfad . . . Dorf körperlich empfunden . . . und geistig . . . mein Geist . . . welcher . . . der eine . . . der eine
Geist, glänzend . . . er sieht Schwäche, wo Schwäche
ist . . . einen Finger am Willen haben und abdrücken . . .
Ordnung . . . im Dunklen . . . Sonne abgeschossen . . .
weggespritzt die Sonne . . . im Dorf Sonne . . . in der
Stadt das Dunkel . . . so soll es . . . so soll es . . . gewesen . . . sein . . . Verfassung ist ein Mohnfeld . . . welche . . . wußtest du . . . hörtest du . . . zu Ohren gekommen, daß ich . . . Anschluß an mich selbst . . . den Fremden . . . mit seinem Knie . . . das Knie körperlich empfinden . . . Stillstand hinter seiner Lenkstange . . . an der
Hupe baumelt der volle Humpen . . . Minute bis Ge-
dränge . . . auf dem Josephsplatz . . . sie treffend . . . seit
Jahrhunderten so . . . südlich nördlich . . . diese Zimmermädchen . . . mit ihren Maulbeeren und Rotnesseln . . . merklich . . . nicht mehr wo . . . hör dich . . .
wie . . . du sagst . . . umgefallen und flüssig . . . klein
und wann ermüdet . . . seit dem Dorf . . . wälzend, aber
niemals mich . . . Kriechen ist eine Verfassung, das diese
Verfassung mit Einfluß . . . unter Einfluß . . . welchem . . . gelockt . . . durch sie . . . mit meinem Knie . . .
auf die Stadt zu . . . Rotnesseln durch . . . Drängen in
zwei Minuten . . . Eilgut gerät auf eine Lichtung . . .
Geschlechtsteil geschluckt . . . wissen . . . daß erin-

nert . . . flüssig wälzend . . . aber . . . der Humpen . . . an den Mund damit . . . körperliches Dorf . . . ist meine Verfassung . . . kleinerer Körper . . . als auch schon . . . auch schon . . . schon lange . . . seit mehreren Jahrhunderten zweier Tage . . . hör dich . . . nicht mehr wo . . . außerhalb . . . auf sie zu . . . Josephsplatz . . . stinkend . . . Moor . . . Leichenteil . . . verschluckt vom Moor . . . in die Grube . . . gute Manier . . . auf einmal . . . in die Aufgerissenheit . . . Schlucken . . .

Größe . . . Waldes . . . abschätzbar . . . in Fetzen . . .
Sonnentreibjagd . . . Scheibchen über Horizont . . . un-
gehört . . . sag das nicht . . . nie gehört . . . bitte
nicht . . . Leichenberge . . . meine dazu . . . mit
Kraft . . . Holz . . . nicht mehr . . . sag mir alles . . .
bitte . . . vergessen . . . im Augenblick überhaupt . . .
und . . . nichts mehr . . . keine Ankunft . . . bitte . . .
nichts mehr sagen . . .

Maulbeeren an den Beinen . . . schwarzrote . . . ins Knie . . . Injektion ins Knie . . . näher mein Knie zu dir . . . Nadel . . . mit der weißen Schürze . . . unter ihr hervor die Folter . . . tödlich . . . leichenschaffend . . . vor der Stadt die Gruben . . . faul . . . stinkend . . . pathogen . . . Fetzen davor . . . Fauligkeit des Fleisches . . . tödlich . . . Leichenbeschau . . . vor der Stadt . . . Torf darüber . . . Beine weg . . . schnell . . . sich ducken, mich ducken . . .

Sonne . . . in Fetzen . . . Fetzen davor . . . Größe . . .
Waldes . . . uneinschätzbar . . . Beine fest . . . Größe der
Reihe . . . alles in Reihen . . . Bäume . . . gehackte
Bäume . . . verbranntes Holz . . . Lohe . . . rauchend . . .
äschernd . . . vor der Stadt die Gruben . . . Torf und . . .
Torf und . . . Größe der Reihen . . . Starre der Reihen . . . Faulenzer . . . immerwährende faulerwerden-
de . . . mit Gestank . . . hin zu mir . . . von zuhause
weg . . . tönend . . .

Helle Maulbeeren . . . Beeren warm vor Sonne . . . in der Sonne ein schwerer grüner Ekel . . . meine verdammten Krücken . . . Schwünge . . . erheben mich, schaue mir zu, kann nichts sehen, erheben mich . . . Pilze . . . Schwünge in den Pilzen . . . vor der Stadt . . . zum Josephsplatz . . . Kapelle mit Krückenmusik . . . klingend . . . Pilzauswüchse auf den Maulbeeren . . . Pilze wieder wie Maulbeeren . . . auf Maulbeeren maulbeerartige giftige Auswüchse . . . ermüdet . . . anders . . . im Kreis . . . besser in länglichem Kreis gefangen . . . anders . . . im Kreis elliptisch . . . genug . . mir schon . . . danke . . . mir schon . . . erreicht die Musik . . . anders . . . krank . . . Lust . . . ja manchmal . . .

Wie . . . tief . . . warum einer darüber . . . was . . . gegangen zum Zwecke des Erreichens der Stadt . . . verstümmelt . . . o ja . . . gewiß . . . verstümmelt . . . Krükken . . . klingend . . . Musik meiner Krücken . . . erreicht die Musik . . . Kapellen . . . Kapellenmusik wird durch meine Krückenmusik beeinträchtigt . . . Josephsplatz . . . Kapelle auf dem Josephsplatz . . . uninteressant . . . sag das nicht . . . in Pilzen . . . und in Maulbeeren . . .

Wiederholen... einschnappen... Naturen, ihr Huren... Natur... du Natur... außerdem... Geist... du Geist... hereingebrochen am Morgen... ins Knie... zerfetzend... aufsplitternd... Flechtwerk der Nerven zerstörend unheilbar... weiße Schürze... NICHT, sage ich... schreie ich... das Ding... groß vor mir... welches Ding... entfallen... vor mir... vor dem Fremden... der Fremde... seine Augen... unser Mitleiden unter wenig stechender Sonne... kahler Schädel bräunlich... eingebüßt... Augen zu... verknappt... du Stadium... du mein dreitausendsiebenhundertsiebzehntes... viel... kaum viel... nichts... nur... schon geschehen... Einbildungen... Eulenspiegeleien... Angst vor dem Dunst... Rückkehr im Nebel... Wolkenjagd im Weinberg... Sonne gestriemt... von Haus aus... gibt es das... ja... ganz plan und so... im ersten meines Ganges...

Tag um Tag . . . im dreitausendsiebenhundertsechzehn-
ten Stadium . . . später . . . von selbst . . . außerdem . . .
folgender Morgen . . . weiter . . . kleiner und kleiner . . .
Beinsichel größer . . . Verlust an Spitze . . . meine
Spitze . . . ähnlich wie . . . weiß nicht mehr . . . gesehen . . . alles gesehen . . . weiter . . . Kopf auf dem Fensterbrett . . . in meinem Haus . . . von da aus . . . herbei
auf den Weg zu mir . . . gesehen . . . weiter . . . endlich
gesehen . . . nicht doch noch überblickt . . . folgender
Morgen . . . Wolkenjagd und Windzweigmuster . . .
Sonne gestriemt . . . kein Hereinbruch der milden
Sonne, deren Strahlen einen flüchtigen Zug Wind auf-
wärmen . . . Rebenpfade . . . verstümmelt in den Wein-
stöcken . . . Rückkehr . . . Angst . . . Umkehr . . .
Furcht . . . Rückkehrsfurcht . . . Umkehrangst . . . dazu
kein Grund . . . weiß nicht warum . . . ignoriere es . . .
hinter mir . . . Haus . . . gibt es das . . . vor mir . . .
Stadt . . . gibt es das . . . wird es, wird es . . . Eulenspiegeleien eines Mannes, der . . . zuviel vornehmen . . . du
dir, er sich, wir uns . . . viel zuviel . . . beinlos, Beinlose
alle . . . Naturen, ihr Huren . . . Natur . . . du Natur . . .
außerdem . . . Dunst . . . du Dunst hereingebrochen am
Morgen . . . herbeigezerrt du Dunst . . . hohe Wolkig-
keit dieses Rudimentes Leben . . . schon geschehen . . .
schon gesehen . . . verweht . . . Wind stärker . . . Sonne
stärker gestriemt . . . Lichttötung . . . Einbildungen . . .
Augen zu . . . nur . . . Augen zu . . . nichts . . . Augen
zu . . . viel, aber verknappt . . . nie lange auf einmal . . .
eingebüßt . . . ein Fremder . . . auf mich zu . . . lange
her . . . seine Augen . . . sein Schlaf . . . ausgegangen im
Geist . . . Folter . . . Spritze . . . Nadel . . . Schürze . . .

auf mich zu . . . ins Knie . . . Folter . . . Spritze . . . auf
mich zu . . . Schürze . . . Nadel . . . Kanüle mit Säft-
chen . . . in mich . . . Ring beseitigen . . . beseitigt . . .
ohne Einverständnis . . . ausgegangen . . . gesehen . . .
vor mir die Heilung . . . gibt es das . . . im Schlaf . . . wie
im Schlaf . . . Schafswege . . . Schwanken rötlicher Zie-
gel niedriger Dächer . . . Schafe . . . Weg . . . im
Geist . . . Stelle . . . davor . . .

Derselbe, nur nicht ich . . . im ersten Viertel . . . des
jeweiligen . . . mich weigernd . . . ich zu sein . . . folgender Morgen . . . Gang weiter . . . Spaziergang . . . wie
jeder . . . auf die Stadt zu . . . weg vom Land . . .
Trockenheit . . . Flucht vor Trockenheit . . . zu spät . . .
wohl verspätet . . . Zeit dazu vorüber . . . in mir . . . sie
ist in mir . . . Trockenheit . . . zu spät verreist . . . vom
Haus aus . . . gab es das . . . in Wirklichkeit . . . alles
anders, nämlich ähnlich . . . ein dreitausendsiebenhun-
dertsechzehntes Stadium . . . zunehmende Sichel . . .
weniger scharf, weniger schneidend . . . Stadt vor
mir . . . über Hecken weite Strecken . . .

Pilze ziehen an meinen Plattfüßen vorbei . . . Monde auf
Stielen . . . Schwünge, die mich vorwärtsbringen . . .
keine Schwünge, wenn ich aufsetze . . . blau Unterlaufe-
nes . . . Beulen . . . angestrengt . . . hin zur Stadt . . .
mehr Bevölkerung ermüdet weniger . . . keuchst du . . .
hinter dem Busch . . . beiseiteschieben die Zweige . . .
ein Bein in den Busch . . . einer . . . seit der Zeit eines
Kreises steht da ein Busch . . . nicht wegzubringen, so
energisch ich hinke . . . flachtreten den Busch . . . als
wärs ein Entgegenkommender . . . wirklich . . . die
Kraft . . . unvermutet . . . gischtet aus mir heraus . . .
fern die Stadt . . . gelb unter der Dunstglocke . . . Pesttote häufen sich in den Gassen . . . Aborte überlaufen . . . eine Reise wert . . . atmen . . . atmen . . . gelb
unter der Dunstglocke . . . die Stadt . . .

Abgerieben, die Beine . . . einzeln . . . Fuß weg . . . Fuß-
gelenk weg . . . Wade weg . . . bis zum Knie weg . . .
Knie hält . . . der Knorpel des Knies . . . kein Haus . . .
aus dem Kamin steigt die graue Rauchwolke in die steile
Höhe . . . resistent, der Knorpel . . . nicht mehr zuviel
Kraft . . . sparsam haushalten damit . . . aber doch . . .
die Wanderung . . . sie will fertiggestellt sein . . . erwandern . . . sich einen Ort erwandern . . . bah . . . uninteressant . . . das Wandern erzeugt erst den Ort . . . auch
bei Vollmond . . . warum ausgerechnet bei Vollmond
nicht . . . warum sollte das Wandern keinen Ort erzeugen . . . warum . . . vergessen . . . einmal gelesen, immer
vergessen . . . sag das nicht . . . kaum wanderst du, ist da
ein Ort, in dem du wanderst . . . hin zur Stadt . . . ent-
kommen . . . da bin ich . . . hoppla, jetzt falle ich . . .
Krücken . . . nie gesehen . . . in die Ärmel geschoben
vielleicht . . . faltbare . . . teleskopische . . . Stäbchen,
die die jungen Schößlinge stützen . . . meine Krükken . . . du Schößling . . . nie gesehen . . . meine verfluchten Krücken . . . oder das Gegenteil . . . ich stütze
meine Krücken . . . geleimt, alle geleimt . . . brechen
zusammen, wenn ich sie nicht stütze . . . die gestützte
Krücke . . . die vom Invaliden in Form gehaltene
Krücke . . . aufschauen . . . Neumond . . . Wipfel lichten
sich . . . anstrengend . . . ständiger Landschaftswech-
sel . . . anstrengend . . . wie in der beschissenen
Schweiz . . . zwei Minuten, und du fällst ins Tal . . .
hoppla, jetzt stehe ich auf die Füße . . . Fuß weg . . . alle
einzeln . . . bis zum Knie . . . die Knie sind resisten-
ter . . . seit zwei Tagen vermehrt . . . seit drei Tagen . . .
seit zwei Tagen . . . seit einem Tag und noch einem
Tag . . .

Gang ... oder in einer Acht ... der Anfang das
Ende ... der Anfang des Endes ... mein Anfang meines Endes ... als wäre ich in einer Kiste ... dunkel ...
Natur errichtet Wände ... Kunststück ... mit soviel
Stämmen und ruhenden Brennholzfudern ... im Holz
sein ... bis zu den Wipfeln finster, aber darüber ...
höher oben ... ich meine bloß ... auf meiner Kreisbahn, die als Reise getarnt ist ... und umgekehrt ...
ineinander verschlungene Beine ... alle gebrochen ...
eines stützt das andere ... auf der Reise, die ich als
Kreisbahn einschätze ... höher oben ... der anämische
Mond ... voll natürlich ... hier alles leer ... bis auf
mich ... leer außer mir ... ich fülle nicht stark ... in
einer Reihe stehen und Appell machen ... ich ... die
Reihe ist an mir ... ICH! ... Wachthabender, ich ... zu
spät ... eingezogen ... ganz rund und tief gekugelt,
nein, tief gesunken ... Morast und Watte ... auftupfen
den Morast ... zerzupfen die Watte ... ehe man an-
kommt ... ankommen ... nur noch einmal ... be-
grenzt möglich ... Beine weg ... abgelaufen ...

Über dem Boden . . . kein Maulwurf . . . gut . . . eine gute Maulbeere . . . gut . . . gut . . . große und rasche Besserung . . . so in die Stadt . . . geschmissen . . . alles selbst . . . nur ich . . . was wäre wenn . . . die Stelle längst verloren . . . mich ausstoßen lassen . . . plötzlich die treibende Wanderlust . . . besser . . . immer besser . . . so rasch jetzt . . . an der Stelle vorbei . . . hingefallen . . . der Länge nach . . . nicht besser . . . dafür tönend . . . verzerrte Klänge . . . ihr Eindringen . . . durchs Loch . . . schlimmer . . . nicht mehr . . . in die Stadt . . . warum nicht . . . ebensogut wie . . . aus Holz . . . ganz aus Holz . . . überhaupt . . . vergessen . . . Augenblick verweile . . . schnell schnell . . . hüste hott . . . gepreßte Laute . . . Kunststück . . . fest . . . allzu fest . . . undurchdringlich . . . hingefallen . . . Aufprall . . . verletzt . . . also denn . . . in die Stadt . . . als du das gelesen hattest . . . ihre Größe . . . Million . . . Viertelmillion . . . mit Vororten . . . was denn bloß . . . jetzt nicht vergessen . . . nur nicht vergessen . . . in die Stadt . . . auf sie zu . . . rollend dahin . . .

Größe . . . selbstverständlich . . . eine Festung . . . nicht
herein . . . nie hinein . . . gepreßte Stimme . . . schnell
schnell . . . einen Augenblick . . . vergessen . . . einen
Augenblick . . . vergessen . . . und überhaupt . . . ganz
aus Holz . . . nein . . . nicht mehr . . . schlimmer . . . etwas Tönendes . . . nicht besser . . . an jeder Stelle . . .
gehalten . . . im weiten Umkreis . . . plötzlich besser . . .
ganz leicht . . . keine Stelle mehr . . . abgeschoben . . .
Wanderlust packt mich . . . die Stelle verloren . . . die
Sache geschmissen . . . gut . . .

Gut . . . gut . . . eine Maulbeere im Mund . . . gut . . .
erhebend . . . geschwollene Wange . . . einfallende Sätti-
gung . . . ich allein die fünftausend Krämer . . . anders . . . ganz anders . . . krank war ich . . . manchmal
hatte ich Lust . . . aber jetzt vorwärts . . . meine fünf
Beine . . . im Alter werden es mehr sein . . . Zeit . . . auf
Null zurückgedreht . . . kein Tempo . . . dafür das
Ticken . . . fast kein Jawort . . . nicht viel Positives . . .
nun denn . . . in die Stadt . . . auf meiner Reise . . . nicht
gewarnt . . . fast kein Jawort . . . vorher nichts angezeigt . . . umgefallen . . . kein Tempo . . . woher kommt
der Raum . . . die Entfernungen vergrößert . . . sprung-
haft . . . kein Hinkommen . . . nun denn . . . in die
Stadt . . . wenn es sein muß . . . Null . . . die Zeit ange-
halten . . . Beine auf die Schulter genommen . . . alle fünf
Beine zum Rutenbündel geflochten . . . vorwärts . . .
manchmal . . . ich glaube, das muß sein . . . schwer
krank . . . ewige Spuckerei . . . mein Inhalt . . . bald
leer . . . aber unverzagt . . . gepfiffen . . . einziges
Loch . . . aus der Schwärze . . . der alte Eiter . . . steif
vor Lust . . . überall . . . ohne zu zögern . . . anders . . .
keinesfalls so . . .

*Ende*

# Han und Amin

*Drei Dialoge*

Han, der Amin ähnlich ist; ein 45jähriger Mann
Amin, die Hans Tochter sein kann; eine 10jährige Frau

*Ort:* ein langer, kahler, nur etwa 1 Meter tiefer Raum.
Ungefähr in die Mitte seiner Rückwand ist ein mit tiefrot
gefärbten Reiherfedern verhängtes Fenster eingelassen.
Rechts im Raum ein etwa 50 cm hoher Berg Schrauben
und winziger Stahlartikel. Die Lampe, halblinks an der
Decke, strahlt mit 45 000 Watt Stärke. Han und Amin
sind nackt und schwer verwundet, mit Spießen. Ihre
Körper sind kindlich, unbehaart. Der beleuchtete Raum
wirkt so wohnlich, wie es geht. Die Geräusche sind, in
niedriger und hoher Lautstärke, jene von Wasser, das
fließt und kocht.

# I

Ein Schwinden?

Unbedingt.

Weniger, immer weniger?

Und ekelhafter, immer ekelhafter.

Am Schluß?

Ja.

Was ist zum Schluß?

Wir sind dran. Aber das ist nicht der Schluß.

Ein Schwinden?

Das ist vor dem Schluß.

Vor dem Schluß.

Was sagst du?

Das Schwinden ist vor dem Schluß. Sagst du.

Sage ich?

Unbedingt. Soll ich's auch sagen?

Lieber nicht. »Das Schwinden ist vor dem Schluß.« Das habe ich gesagt?

Ich möchte es genauer wissen.

Du drängst.

Du drängst nicht genug.

Man soll nicht drängen.

Meine Weisheit lautet anders. Sie bedeutet das Gegenteil.

Deine Weisheit schwindet.

Das ist, was meine Weisheit von deiner Weisheit behauptet.

Was?

Deine Weisheit schwindet.

Alle Weisheiten schwinden.

Das Schwinden ist vor dem Schluß.

Das könnte von mir sein. Was ist der Schluß?

Ein Schwinden vielleicht.

Werden wir drankommen?

Du fragst: ein Schwinden? Fragst du das?

Du kannst das so gut wissen wie ich. Nämlich überhaupt nicht.

Ich weiß nichts. Aber ich dränge.

Gut, gut.

Also ist nichts sicher?

Oh.

Nichts?

Ein Schwinden schon. Ein bestimmtes.

Ewig?

Ziemlich.

Es meint uns?

Es nimmt uns dran.

Das überrascht mich nicht mehr. Was sagst du? »Es nimmt uns dran«?

Du kannst es nicht wissen.

Ich will es nicht wissen.

Ich will es wissen.

Das ist dasselbe. Einer will, einer will nicht. Das ist dasselbe.

Immer so gewesen.

Bei dir schon.

Immer?

Ziemlich immer. Und dann?

Wann?

Aha.

Genau. Dann. Dann?

Was dann?

Wir schwinden.

Aber bestimmt. Das ist doch nicht zu bezweifeln.

Wie? Du glaubst, daß wir schwinden?

Ich glaube dir. Das ist nicht dasselbe.

Du glaubst mir, aber du glaubst es nicht.

Fast.

Also doch.

Doch. Bestimmt. Fast bestimmt denke ich, ich glaube dir. Wir schwinden. Doch ja.

Und ekelhafter, immer ekelhafter.

Ewig?

Du sagst es.

Und dann?

Dann ist unsere Stunde.

Unsere große Stunde?

Unsere . . . einfach unsere Stunde.

Schwinden wir dann endgültig?

Ende.

Wir schwinden?

Du meinst: beide?

Wir beide . . . wir . . . schwinden?

Das tun wir schon.

Bitte?

Wir sind im Begriff.

Das habe ich mir gedacht.

Eigentümlich. Ich auch.

Du hast . . . was?

Ja, ich.

Ach so. Du.

Mhm. Ich.

Ach so. Das ist allerhand.

Das ist schon ziemlich etwas.

Nicht nichts, das. Du also.

Ich.

Nicht etwa ich?

Wer?

Ich?

Du? Ja doch. Vielleicht du.

Also ich!

Du.

Deshalb also! Das ist schon allerhand.

Das ist schon ziemlich etwas . . . gewesen.

Nicht zu unterschätzen. Ich also. Aber was?

Bitte?

Was ist mit mir?

Du meinst: was ist mit mir?

Ungefähr.

Ich habe es etwa so verstanden.

Das habe ich erraten.

Wie ich angenommen habe.

Aber natürlich.

Warum so leise?

Weil ich . . . weil ich . . .

Nein. Du irrst. Ich!

Ach so, du.

Ja. Ich.

Was denn?

Ich . . . ich . . . nein, ich irre. DU bist es.

Ich also.

Du . . . was tust du denn? . . . du . . . SCHWINDEST.

Ich?

Du.

Ich dachte, wir beide schwinden.

Beide?

Schwinden wir nicht?

Das ist unsere Stunde.

Nahe dem Ende.

Wir sind am Aufhören.

So schnell.

Wir haben es nicht verdient.

Beide?

Du fragst das?

Nein.

Das ist gut. Wir schwinden schon beträchtlich.

Ich fühle etwas.

Ich fühle nichts.

Du solltest etwas fühlen.

Du solltest, wenn du's richtig machst, nichts fühlen.

Tu ich aber.

Nicht richtig gemacht. Du schwindest schlecht.

Schlecht schwinden? Wie geht das?

Fast möchte ich sagen: du schwindest nicht.

Ich?

Schwinden.

Nicht?

Nein!

Nicht? Du nicht schwinden schlecht?

Ich nicht wollen schwinden.

Spaßig. Ich möchte lachen. Mein Mund leider nicht.

Und wo äußert sich das Schwinden zuerst?

Man redet leiser.

Leider. Siehst du, du weißt es.

Ungefähr.

Du tust es.

Es?

Es hat dich ergriffen.

Das wollte ich mit allem, was ich bisher gesagt habe, sagen.

Hast du auch.

Danke. Auf dich kann ich mich verlassen.

Auch in Zukunft. Ich bin sicher. Bis zu einem Punkt.

Der wäre?

Man redet leiser.

Und dann?

Dann? Aus.

Kein Später?

Für uns?

Für einmal!

Ich werde es dir sagen, wenn es soweit ist.

Bald?

Für mich, ja.

Ich noch vor dir . . . vor dir . . . du weißt, was.

Ich weiß, was. Aber ich vor dir.

Ich der Letzte.

Einverstanden. Aber ich noch nach dir.

Was willst du NACH mir noch tun?

Zu Ende schwinden?

Zu Ende schwinden.

Was?

»Zu Ende schwinden«. Das willst du, sagst du, nach mir tun.

Das will ich zwar, sage es aber nicht.

Das sagst du, willst es aber nicht. Nach mir schwindest du nicht mehr.

Bestimmt doch.

Nach mir hörst du mit Schwinden auf. Du willst, daß ich zu Ende schwinde, um mich zu überdauern.

Und dann?

Dann? Aus. Für mich.

Kein Später?

Ich werde es nicht hören, wenn es soweit ist.

Gut so.

Vielleicht.

Ja doch. Für dich.

Mag sein. Du bist so lieb zu mir.

Auf einmal, ja. Nur einmal, ja.

Wir müssen zusammenrücken. So klein sind wir jetzt.

Wir sind schon klein. Das ist allerhand.

Das ist nicht nichts, wie wir jetzt klein sind.

Also doch zusammen?

Geschwunden? Aber ja. Das war immer ganz sicher.

Sicher bis zu einem bestimmten Punkt.

Zu welchem?

Das fragst du?

Man redet leiser.

Sicher bis zu dem Punkt, an dem wir geschwunden sind. Ganz geschwunden.

Wir werden lieb sein zueinander.

Weniger, immer weniger.

Aber gleich lieb zueinander.

Das Gefühl bleibt sich gleich.

Und da wir schwinden, wird es, weil es sich gleichbleibt, verhältnismäßig größer.

Lieb.

Ich?

Nein, ich.

Und wo äußert sich das Schwinden zuletzt?

Werden wir drankommen?

Wo ist es zuletzt? Zunge? Geschwunden bis auf die Zunge?

Das könnte von mir sein.

Ist es nicht.

Das weiß ich.

Sicher.

Du sagst?

Sicher weißt du das.

Meine Weisheit sagt mir, daß ich es weiß.

Deine Weisheit schwindet.

Was?

Das ist, was meine Weisheit von deiner Weisheit behauptet.

Deine Weisheit schwindet.

Meine Weisheit lautet anders. Sie bedeutet das Gegenteil. Was so viel ist wie: dasselbe.

Wir wollen nicht drängen.

Du drängst nicht genug.

Du drängst.

Ich möchte es genauer wissen.

Lieber nicht. »Das Schwinden ist vor dem Ende«. Das soll ich gesagt haben?

Unbedingt. Soll ich's auch sagen?

Sage ich das noch?

Das Schwinden ist vor dem Ende. Sagst du.

Was sagst du?

Ich sage nur: vor dem Schluß. Das ist einfacher.

»Vor dem Schluß«. Das ist belebend tödlich.

Es hilft schon weiter.

Dir schon.

Mir schon.

Das ist deine Weisheit. Mir hilft es kaum weiter.

Kaum.

Das ist meine Weisheit. Siehst du den Unterschied?

Nein.

Das ist der Unterschied. Das ist aber auch der ganze Unterschied. Das ist tröstlich.

Trost ist besser als viele Stunden.

Bitte?

Vor dem Schluß.

Das ist vor dem Schluß.

Ein Schwinden?

Wir sind dran. Aber das ist nicht der Schluß.

Was ist zum Schluß?

Genau.

Ja. Du hast recht.

Und ekelhafter, immer ekelhafter.

Weniger, immer weniger?

Unbedingt?

Unbedingt.

Darum also. Das ist schon eher allerhand.

Wir müssen zusammenrücken. Wir vereinzeln. So klein sind wir jetzt.

Ja.

So klein.

Wir schwinden.

Das sagst du.

Und wie. Wir schwinden. Du sollst doch hören, wenn wir schwinden.

Ich fühle nichts.

Ich fühle es.

Auf dich kann man sich verlassen.

Wir schwinden.

Das muß das Ende sein.

Fast. Fast das Ende.

Das bedeutet »Ende« bei mir. Fast das Ende.

Endlich. Doch schon so weit. Dann ist unsere Stunde.

Und dann?

Du sagst es.

Ewig?

Und ekelhafter, immer ekelhafter, bis wir geschwunden sind und wir dran sind, dann fängt es für uns an.

Es fängt an.

Fängt es?

Ziemlich.

Dann ist das der Anfang.

Der Anfang vom Schwinden.

Ich hielt es für's Ende.

Ist es auch. Es ist der Anfang vom Schwinden.

Für uns beide.

Für uns beide gleich.

Wir schwinden.

Wir sind sehr klein.

Du bist viel kleiner geworden.

Du bist so lieb zu mir.

Nur einmal.

Das genügt; einmal genügt.

Ekelhaft.

Ekelhafter, viel ekelhafter.

Jetzt weiß ich, warum und wie.

Warum so leise?

Weil ich an der Reihe bin.

Du sagst es. Leise zwar, aber du hast es gesagt.

## II

Ist Schnee gefallen?

Weiß nicht.

Hast du das Kind gesehen?

Seltsame Frage.

Ist es heimgekommen?

Nichts gesehen.

Kannst du ein Licht anzünden? Haben wir noch Strom?

Ich mag nicht. Keine Ahnung.

Ob uns noch Strom bleibt?

Meinst du, ein Sturm kommt?

Jedenfalls wird uns der Wind das Dach wegnehmen.

Das wollte ich eben sagen.

Er hat mir das Haar ins Gesicht geweht.

Kein Beweis.

INNERHALB des Hauses ins Gesicht geweht.

Wie das Kind.

Ich habe es wieder weggebürstet.

Das Kind?

Man könnte den Geist aufgeben.

Ohne Bedauern.

Was siehst du?

Einen Hof. Einige leere weiße Wagen. Die Uhr an der Mauer steht still. Der Turm streckt seine Ziegelfugen in eine Höhe, in der schon ein Nebel liegt, der die Höhe verdeckt. Zugmaschinen.

Ob die noch Treibstoff haben?

Ob uns welcher bleibt?

Ich ziehe dich.

Ich will mich erst anziehen.

Man könnte den Geist aufgeben.

Aber, du übertreibst.

Erzähl keine Märchen.

Ich erzähle gar nichts. Was siehst du?

Die graue Mauer. Sie ist so nahe wie gestern. Genau gleich nahe. Es ist schon fast auffällig, wie sehr die Nähe gestern mit der Nähe heute übereinstimmt. Ich will feststellen, ob das auch für die Höhe gilt. Ja, es gilt. Es ist eine Mauer, die ziemlich fesselnd ist.

Fesselnd, ja.

Es ist jedenfalls nicht heimgekommen.

Das Kind? Das beunruhigt mich.

Natürlich beunruhigt dich das.

Es ist nicht heimgekommen, sagst du?

Das ist mild ausgedrückt. Es ist kein Gedanke daran, daß es überhaupt auch nur annähernd so daheim ist wie wir. Also muß es sein Heimkommen mit einer unermeßlichen Verachtung behandelt haben. Es ist scheußlich weit weg.

Das Kind? Das ärgert mich.

Nimm es nicht schwer.

Das Kind? Ich nehme es leicht.

Ist Schnee gefallen?

Ich weiß es nicht.

Auf der Mauer?

Schnee? Tatsächlich.

Haben wir noch Strom?

Nimm es nicht schwer.

Wenn nun ein Sturm kommt.

Es kommt vorher heim.

Heim . . . das Kind . . . heim.

Wir können noch lange von ihm sprechen.

Das ist das beste an ihm.

Woran?

Am Kind.

Was ist das beste?

Es ist weg. Aber es beschäftigt uns. Wir haben keinen Strom mehr.

Das wollte ich eben sagen.

Es kommt bald heim.

Ich hoffe es.

Du hoffst immer.

Du auch.

Wir hoffen beide.

Aber nicht auf dasselbe.

In bezug auf das Kind, meinst du?

Ich bin angezogen.

Ich auch.

Du kannst mich ziehen.

Wolltest nicht du mich ziehen?

Gestern.

So?

Schnee. Tatsächlich. Die Anhänger sind fast nicht mehr zu sehen. Aber das ist vielleicht der Nebel. Der hat sich gesenkt, langsam, schrittbehutsam, senkschwer über Nacht.

Es ist derselbe Nebel.

Durch den wird es heimstapfen.

Wird es?

Wer? Das Kind?

Das Kind? Ach so, das Kind.

Wer sonst? Das Kind. Es stapft heim.

Das ist schön gesagt.

Warum auch nicht? Warum es nicht schön sagen? Durch den Nebel stapft das Kind heim.

Es ist derselbe Nebel wie gestern.

Dieselbe Mauer.

Dieselben Leute.

Fast.

Du und ich? Du und ich doch.

Bestimmt.

Nicht wahr?

Schon, doch, schon. Du und ich. Bestimmt. Aber ja. Belassen wir es dabei. Du und ich.

Dieselben Leute!

Aber ja. Dieselben Leute.

Dieselben wie gestern.

Du vergißt es.

Was?

Es wird heimkommen.

Glaubst du, ein Sturm bricht aus?

Komm zu mir.

Nahe?

Ziemlich. Dann kann er ausbrechen.

Wer?

Er kann ruhig ausbrechen.

Und es?

Es wird vorher heimkommen. Es kriecht unter einer Zugmaschine hervor. Durchgeht den Hof, über den wir blicken. Es mag unserem Raum entgehen, unserem Blick entgeht es nicht.

Das ist schön gesagt.

Es kommt vorher.

Vor dem Sturm?

Ob uns noch Strom bleibt?

Kommt es vor dem Sturm?

Ob wir durch den Nebel hindurchkommen?

Noch vorher, die Heimkehr.

Ich hoffe es.

Sicher?

Ich weiß es nicht sicher. Ich weiß nicht sicher, ob es kommt. Ich weiß nicht sicher, ob ich hoffe, daß es kommt. Ich weiß schon fast nicht mehr, ob ich je mit Sicherheit behauptet habe, es komme.

Noch vorher.

Ob uns Strom bleibt?

Ich hoffe es.

Du hoffst immer.

Wir hoffen beide.

Das wird sein.

Es gibt nur noch das.

Schön gesagt. Hast du es eigentlich gesehen?

Fast. Es ist lange her.

Gestern? Im Schnee?

Es hat mir das Haar ins Gesicht geweht. Wie dumm. Ich war im besten Begriff, es zu sehen.

Was?

Es hat mir das Haar ins Gesicht geweht.

Kein Beweis. Ich werde eines Tages gehen und Beweise suchen.

Wofür suchst du?

Einfach suchen. Es wird es mir beweisen, daß wenigstens du es gesehen hast.

Das Kind? Ich habe es nicht gesehen.

Du hast es gesehen, WIE das Kind es gesehen haben muß.

So?

Man könnte den Geist aufgeben.

Da übertreibst du.

Schön gesagt. Wie sage ich es unübertrieben?

Einfacher. Schöner.

Schöner.

Viel schöner. Es ist viel schöner.

Oft?

Im Gesicht lagen meine Haare. Ich habe sie weggebürstet. Da war es vorbei. Aber ich werde es sehen.

Du hoffst immer.

Wir hoffen beide. Hast du das vergessen?

Ja.

Ist Schnee gefallen?

Wenn ich mich vergewissere, scheint es.

Also Schnee. Du sagst nein? Also Schnee. Du sagst nein? Siehst du? Schnee.

# III

Schweigen.

Noch leiser.

Kann nicht.

Oft schon.

Und die Blindheit?

Näher zu dir.

Überall.

Wo?

Rundherum.

Verstehst du »Blindheit«?

Noch rascher voran. Lähmung.

Allgemein.

Später.

Das Ende.

Noch langsamer.

Unmöglich. Fäulnis. Ertauben. Außen. Abstumpfung.

Innen?

Dann endlich.

Was kommt?

Das Ende.

Endlich.

Ja. Das allmähliche Aufhören.

Weg mit mir. Einsamkeit.

Bitte?

Einsamkeit. Mich abgeschieden halten vom Rest.

Nur zu.

Auf die Einsamkeit hin.

Schrumpfung?

Auf sie hin.

Oft?

Fast immer.

Soweit ist es.

Was ist gewesen?

Manches.

Ist es soweit?

Schon?

Keine Ahnung.

Schweigen.

Noch leiser.

Kann nicht.

Oft schon.

Und das Ende?

Weiter von dir weg.

Viel?

Nein.

Nicht viel?

Kaum.

Näher zu dir.

Überall und nirgends.

Eher nirgends.

Was dort?

Dasselbe.

Wo?

Warum »wo«?

Ist alles ortlos?

Bis auf uns.

Warum nicht?

Jetzt doch immer mehr.

Allgemein?

Später.

Die Blindheit. Die Taubheit. Das Absterben.

Noch langsamer.

Möglich. Fäulnis. Ertauben. Innen. Abstumpfung.

Außen? Wasser?

Metall. Ins Metall gefallen.

Flüssig?

Ja. Kühlt wieder ab.

Und ich?

Woher kommst du?

Und der Kern?

Wessen Kern?

Mein Kern.

Dasselbe wie mein Licht.

Du hast kein Licht.

Vor mir liegt ein Horizont, an ihm klebt Feilstaub.

Soweit ist es.

Schon.

Bist du gefügig?

Wann?

Immer.

Sozusagen.

Für mich sage ich: keine Ahnung von nichts.

Und was liegt vor dir?

Eine Schale voll Schnee. Schnee bis zum Rand. Aber nicht nur.

Was noch?

Ohne das Schweigen?

Das Schweigen wird später besprochen.

Meerfransen wüten in der Schale.

Das alles vor dir?

Genau wie vor dir?

Magst du mich?

Schweigen.

Noch leiser. Magst du mich?

Kann nicht. Ich weiß nicht. Wie kann ich?

Oft schon. Man kann mich mögen.

Ich möchte allein.

Wie sehr allein?

Die Einsamkeit.

Haßt du mich?

Näher zu dir.

Haßt du mich?

Verstehst du »Blindheit«?

Noch rascher voran. Keine Antworten mehr. Lähmung.

Keine Antworten.

Dann doch noch. Eine einzige. Aber lieber nicht jetzt.

Und allgemein?

Noch allgemeiner?

Wirklich sehr allgemein.

Dann endlich.

Was denn?

Doch schon.

Aber für wie viele?

Was?

Wie bitte?

Ich erkundige mich.

Versteh ich nicht.

Wiederhole es.

Das Ende.

Für wie viele?

Allgemein.

Ganz allgemein?

Endlich.

Das wäre es?

Ja. Das allmähliche Aufhören. Kein Geschmack mehr.

Weg mit mir. Einsamkeit.

Magst du mich?

Auf die Einsamkeit hin.

Tust du das oft? Magst du mich?

Fast.

Soweit ist es.

Ein Geräusch.

Wo?

Vor mir.

Beim Feilstaub?

Am Horizont.

Wo?

In deiner Schale.

Unhörbar, das Geräusch.

Es ist klein.

Was bringt es? Es ist kein Geräusch.

Einer kommt.

Stille.

Ein Geräusch.

Die Stille drückt mich nieder.

Die Stille, die du hörst, soll dein Ende sein.

Meine Ohren verrecken.

Und das andere?

Welches andere.

Du sagst »Mein Ohr verreckt«. Das ist gut. Aber das andere Ohr?

Meine OhrEN.

Beide? Er kommt näher.

Schweigen.

Nicht mehr so leise.

Kann es nicht wahrnehmen.

Der Beweis des Geräusches ist einfach.

Ja. Das allmähliche Aufhören.

Es unterscheidet sich vom Schweigen.

Stille.

Ein Geräusch.

Stille.

Ein Lärm. Er ist hingefallen.

Und die Blindheit, Taubheit, Lähmung? Alles der Tumor.

Näher zu dir. Hörst du ihn?

Verstehst du »Blindheit«? Ich höre ihn nicht.

Noch rascher voran. Mich abgeschieden halten vom Rest. Hörst du ihn jetzt?

Immer noch nicht. Magst du mich?

Kann nicht.

Oft schon.

Und das Ende?

Weiter von dir weg.

Also nicht für beide?

Für mich. Es ist bestellt. Wenn er nicht vorher noch eintrifft.

Das Absterben. Geht er schnell, leben wir noch.

Die Meerfransen sind soeben ruhig geworden.

Was uns bedeckt, das wartet gierig auf etwas, das es bedeckt.

Ja. Das allmähliche Absterben. Er ist schon nahe.

Auf ihn zu. Ich höre ihn nicht.

In die Einsamkeit mit mir.

Ich möchte mit dir zusammen bleiben.

Ich mag dich nicht.

Ich möchte mit dir zusammen sein.

Oft ist das so. Er ist ziemlich nahe.

Schweigen. Er ist sehr nahe.

Fast. Er ist sozusagen sehr nahe.

Soweit ist es.

Wo denn? Wie groß denn? Woher denn?

Nicht viel?

Kaum.

Näher zu ihm.

Überall und nirgends.

Eher nirgends. Wo stehen wir?

Auf dem Boden. Zum Schein ein Boden. Nichts mehr ist vor mir.

Dein Feilstaub, den gibt es nicht mehr.

Was kommt?

Das Ende.

Schluß mit uns?

Mit einigen ist Schluß.

Oft?

Ziemlich.

Wer sagt das?

Ich habe es gehört.

Im Schweigen?

Es war ein Geräusch.

Ist einer gekommen?

Was tut dein Ohr?

Und die Blindheit?

Was tut dein Ohr?

Und die Blindheit?

Verstehst du, wenn ich »Ohr« sage?

Es waren meine beiden Ohren.

Du hast »verrecken« gesagt. Ein häßliches Wort.

Es kam aus dem Schweigen.

Schweigen?

Noch leiser.

Kann nicht.

Oft schon.

Und das Aufhören.

Auf die Einsamkeit hin.

Ich werde allein sein und weinen.

Endlich. Die Stille, die du hörst, soll etwas anstellen mit
dir.

Auf sie hin.

Immer wieder.

Aber er ist gekommen.

Er ist da.

Ich verehre ihn nicht.

Soweit ist es.

Noch langsamer.

Dann endlich.

Noch langsamer.

Du wirkst starr.

So gut wie du kann ich das nicht.

Keine Ahnung.

Solange es mich gibt, wollte ich wissen, was eine Ahnung ist.

Keine Ahnung.

Was kommt?

Hast du eine Ahnung!

Ja. Das allmähliche . . .

Weg mit mir. Einsam . . .

Noch starrer.

Ich bin jetzt mitten im Metall.

Flüssig?

Einmal. Jetzt kühlt es ab.

Was ist gewesen?

Es war ungeheuer.

Ungeheuer?

Alles, was war, will immer noch einmal sein.

Schön.

Schön gesagt. Aber nicht schön.

Was kommt?

Wenig noch.

Ist es soweit?

Schon?

Das frage ich.

Ich frage: muß die Frage schon sein?

Keine Ahnung.

Schweigen.

Noch leiser.

Ich höre ein Geräusch. Einer lärmt heran.

Hör auf.

Womit?

Noch leiser.

Kann nicht aufhören.

Und die Blindheit?

Näher zu dir.

Magst du mich?

Näher zu dir. Ich möchte allein sein.

Weg von dir. Ich möchte bei dir sein.

Einsamkeit. Vor mir die Schale ohne Meerfransen.

Wo sind sie hin? Vor mir ein Horizont. Nehme ich an.

Nimm nicht.

Meinst du?

So ist es. Schweigen.

So ist es. Noch leiser.

Kann einfach nicht.

Mußt.

Noch langsamer?

Etwas starrer. Schau auf mich.

Kann nicht.

Doch wieder ein Lärm.

Kann nicht.

Schau hierher. Der Lärm. Er ist rechtzeitig da.

Rechtzeitig. Wir leben noch.

Wir leben noch.

Lärm. Kein Schweigen.

Er ist da.

Ist er?

Ich glaube.

Glaubst du daran?

Da ist er.

Ich bin nicht.

Ich bin. Da bin ich.

Da bin ich nicht.

Noch leiser.

Will ich gern. Da bin ich nicht.

Fast Schweigen.

Kann kaum.

Oft schon.

Und was siehst du?

Näher zu dir. Wie ich näher zu dir . . .

Wohin?

Näher zu . . .

Soweit ist es. Du magst mich auf einmal.

Noch rascher, enger. Lähmung.

Sind wir soweit?

Ja.

Sind wir soweit, jetzt?

Ja. Wir sind beide.

Beide?

Ich . . .

Ja. Soweit ist es jetzt.

Ich . . .

Ja. Geh. Empfange ihn. Wie es sein soll.


*Ende*